Woanc

Das Buch

Charlotte träumt davon, sich mit ihrem Mann Thomas und ihren Kindern Emily und Anton dauerhaft in Frankreich niederzulassen. Sie möchte im Périgord alte Gemäuer in attraktive Ferienwohnungen verwandeln. Thomas lässt sich trotz Bedenken von ihrer Begeisterung anstecken, und sie beginnen mit der Suche. Doch das Projekt steckt voller Tücken, und die Kinder sind alles andere als begeistert. Auch Charlotte und Thomas sind nicht immer einer Meinung, Konflikte und Zweifel werden zum ständigen Begleiter. Und nicht nur die fremde Sprache erweist sich als große Herausforderung. Es ist ein Weg mit vielen Klippen. Wohin wird er sie führen?

Die Autorin

Die Liebe zum Schreiben und Lesen zieht sich wie ein roter Faden durch das Leben von Ilsebill Hobbeling. Nach dem Studium der Germanistik war sie über zwanzig Jahre lang verantwortlich für Werbung und PR in einer großen Fachverlagsgruppe. Sie absolvierte Fernlehrgänge für Belletristik und Kinder- und Jugendliteratur, bloggt und ist passionierte Tagebuchschreiberin. Neben einer Biografie über das Leben ihrer Mutter veröffentlichte sie den Roman, „Zu jung für sie?" Die Autorin wurde in Krefeld geboren, sie lebt seit vielen Jahren mit ihrem Mann im Rheingau, in der Nähe von Wiesbaden. Sie hat zwei Kinder und vier Enkelinnen.

Ilsebill Hobbeling

Woanders ist es anders

Roman

Bibliografische Information der Deutschen Nationalbibliothek: Die Deutsche Nationalbibliothek verzeichnet diese Publikation in der Deutschen Nationalbibliografie; detaillierte bibliografische Daten sind im Internet über dnb.dnb.de abrufbar.

Umschlaggestaltung: Ulrike Posselt, ulrikeposselt.de
Foto Titelseite: SwanAround Photography
Foto Umschlagrückseite: Rolf-Günther Hobbeling
Herstellung und Verlag: BoD - Books on Demand, Norderstedt

ISBN: 9783754330722

Für Julia und Benjamin

1

„Das hat die Mama doch nicht so gemeint!" Thomas drehte sich zur Rückbank um und wuschelte leicht durch die lockigen Haare seines Sohnes Anton. „Jetzt machen wir das versprochene Picknick, wir suchen eine schöne Stelle am Wasser."

„Das habe ich sehr wohl so gemeint." Charlotte blitzte ihren Mann an, bevor sie das Auto schwungvoll in einen Schrägparkplatz lenkte, zum Stehen brachte und mit einem energischen Ruck die Handbremse anzog. „Schaut euch doch mal um, wie schön es hier ist." Sie breitete die Arme aus, dann zeigte sie auf den Fluss, der sich durch saftig grüne Wiesen vorbei an üppig wuchernden Büschen durch die Landschaft schlängelte. Einen Steinwurf entfernt überspannte eine alte Bogenbrücke die Dordogne. Dahinter säumten, dicht an dicht, helle Häuschen mit dunkelroten Spitzdächern wie Hexenhüte das Ufer zur Rechten. Die Häuserreihe duckte sich an den Fuß einer schroffen Felswand. Am Vormittag hatten sie eine Burg besichtigt, die ihnen einen grandiosen Blick auf die zahlreichen Schleifen, Schluchten und Kalkfelsen der Dordogne gewährt hatte.

Thomas' Lippen wurden schmal, er stieg wortlos aus. Anton klickte auf den Gurt seines Kindersitzes und wand sich geschickt aus dem Auto. Seine Schwester Emily, eine dünne Zwölfjährige mit endlos langen Beinen, öffnete die hintere Wagentür und setzte langsam einen Fuß nach dem anderen auf das Pflaster. Sie streckte sich einmal durch, dann schaute sie auf ihr Handy. „Zwanzig Grad, na immerhin."

„Könnt ihr euch noch erinnern, wie trostlos das Wetter in Wiesbaden war? Hier ist die Luft so seidig und das Licht so sanft", sagte Charlotte. Emily schaute kurz zu ihrer Mutter, drehte sich um und tippte kaum merkbar mit dem Finger an die Stirn. Bezog es sich auf die Aussage im Auto? Oder auf die blumige Formulierung übers Wetter? Oder war es vager Unmut, der neuerdings anscheinend grundlos von ihr Besitz ergriff?

Thomas holte einen Korb aus dem Kofferraum, drückte Emily eine grün-weiß karierte Decke in die Hand und Anton ein Federballspiel. Charlotte griff nach ihrem Rucksack und einer Tasche mit den Trinkflaschen. Als sie hinter den Dreien hertrabte, biss Charlotte sich auf die Lippen. Das war mal wieder typisch für sie, einfach so rauszuplatzen. Es würde bestimmt auf dieser Reise noch bessere Gelegenheiten geben, um ihrer Familie die Idee nahezubringen, die sich in ihrem Kopf verfestigte. Aber in ihr brodelte es. Warum musste Thomas so tun, als seien solche Gedanken völlig abwegig. Schließlich sprachen sie seit fast drei Jahren immer mal wieder darüber, dass sie sich einen Neuanfang in einem anderen Land vorstellen könnten – und jetzt diese ablehnende Reaktion – manchmal verstand sie ihren Mann nicht.

Thomas breitete die Picknick-Decke auf einer ebenen Grasfläche direkt am Flussufer aus. Paddler in ihren schmalen Kanus glitten nahezu lautlos flussabwärts; die Sonne ließ die roten und gelben Boote leuchten und malte glitzernde Kringel auf das Wasser. Charlotte nahm das Tuch vom Korb und ent-

nahm ihm die Lebensmittel, die sie im *supermarché* gekauft hatten.

„Dieses Brot ist so knusprig und innen weich, und
die *pâté* zergeht auf der Zunge. Das können nur die
Franzosen." Charlotte holte ihr Taschenmesser heraus,
schnitt mehrere Stücke Käse zurecht und arrangierte
sie auf einem Holzbrett, legte Weintrauben daneben.
„Hm, riecht doch mal, himmlisch!" Anton griff nach
einem größeren Stück, Thomas ebenso. Emily schaute
lange auf das Brett und nahm sich einen kleinen Strei-
fen Hartkäse. Mit einem „Tataa!" zog Charlotte kleine Gläschen mit *crème brûlée* aus dem Korb. Anton
hatte seins ruckzuck leer gelöffelt, Emily kratzte das
Glas geräuschvoll klappernd aus.

„Der *fromage blanc* ist auch göttlich, warum gibt es
so etwas bei uns nicht?" Charlotte drehte und wendete den Löffel in ihrem Mund, leckte ihn ausgiebig
ab. „In Frankreich ist ...", Thomas warf seiner Frau
einen scharfen Blick zu, und sie verstummte.

Nach der Burgbesteigung am Vormittag und dem
üppigen Picknick ergriff alle eine große Trägheit.
Nur der nimmermüde Anton schaute in die Runde
und stieß einen tiefen Seufzer aus. Dann knöpfte er
seinem Vater das Versprechen ab, später eine Runde
Federball mit ihm zu spielen. „Von dir kann ich wohl
nichts erwarten", er schaute zu seiner Schwester. „Das
siehst du völlig richtig", sagte Emily und ließ sich auf
die Decke sinken.

„Ich spiele auch mit dir", sagte Charlotte, „aber
ein wenig später." Thomas deckte das Tuch über die
verbliebenen Lebensmittel im Korb und legte die
Wasserflaschen in den Schatten. Er wirkte immer

noch verärgert. Charlotte umfasste ihre Knie und schloss die Augen. Ihre Gedanken kreiselten wie Autoscooter – bremsten, nahmen Fahrt auf, stießen an, stießen sich wieder ab. Das nächste Mal würde sie das Thema Neuanfang in Frankreich auf jeden Fall diplomatischer angehen.

Als die Kinder sich abends in ihr Zimmer verzogen hatten, machten es sich Thomas und Charlotte auf der Terrasse ihrer Ferienwohnung gemütlich. Thomas entkorkte eine Flasche trockenen Weißwein, Charlotte legte ein Baguette, ein paar Weintrauben und einen *Picandou*, einen cremigen, zart schmelzenden Ziegenkäse aus dem Périgord, auf ein Holzbrett. Die Wohnung befand sich auf einem Hügel, der einen weiten Blick in die sanft gewellte Landschaft bot. Unterhalb der Terrasse bauschten sich üppige, grau-grüne Lavendelbüsche. Im Sommer dürften sie für prachtvolles Lila, herrlichen Duft und Bienengesumme sorgen. Dahinter leuchtete das frische Grasgrün der Wiesen rechts und links der geschotterten Zufahrt. Halbhohe Büsche standen zur Linken, ein paar Zypressen ragten etwas weiter entfernt ins Bild. Rechts vom Weg, halb verdeckt von einer Hecke, war ein einzelnes, für die Gegend so typisches Haus zu sehen. Aus sandfarbenem Stein, mit einem tief heruntergezogenen dunkelroten Dach. Ab und an raschelte ein Windhauch durch die Büsche, ansonsten war es still.

Charlotte räkelte sich und sagte: „Ist es nicht wunderbar, dass wir Ende März noch so lange abends draußen sitzen können?" Thomas nickte. „Das geht hier bis weit in den November hinein. Und dieser Blick, diese vielen unterschiedlichen Grüntöne. Grandios."

Thomas räusperte sich. „Hoffentlich gefällt es den Kindern hier, so ganz ohne Nähe zum Meer." „Anton war begeistert von der Burg, und das war nur eine von vielen, die wir besichtigen können. Es gibt so viel zu sehen", sagte Charlotte mit Nachdruck.

Natürlich würden sie den Kindern etwas bieten müssen. Der sechsjährige Anton machte bei allem freudig mit. Bei Emily war es inzwischen schwieriger, sie für etwas zu begeistern. Zwar liebte sie Frankreich, genau wie ihre Eltern, aber was brauchte eine Zwölfjährige im Urlaub? Strandleben und Schwimmen im Meer waren auf den ersten Blick schwer zu ersetzen. Und wenn sie eine Halbwüchsige dazu bringen sollten, ihr gut verankertes Leben in Deutschland für ein Leben im Ausland aufzugeben, würden sie kreativ werden müssen. Aber Kindern die Möglichkeit zu geben, Menschen mit anderen Lebensentwürfen kennenzulernen und ihren Horizont zu erweitern, das war doch wohl mehr als sinnvoll. Ach, wird schon werden, dachte Charlotte und zerdrückte ein Stück Käse mit der Zunge.

Bevor die Kinder zur Welt kamen, hatten sie große Fernreisen unternommen, Indien und Indonesien bereist und waren lange durch Südamerika getourt. Mit den Kindern hatte es sie von Anfang an nach Frankreich gezogen, ohne dass es eine Diskussion zwischen ihnen brauchte. Aber immer war das Meer in der Nähe gewesen, ob in der Normandie, der Bretagne oder ganz im Süden, an der Côte d'Azur. Dann hatten Freunde vom Urlaub an der Dordogne geschwärmt, und sie waren sich sofort einig, dass sie eine neue Region Frankreichs kennenlernen wollten.

Charlotte beugte sich vor. „Da hinten, die roten Dächer, die durchblitzen, das wird Sarlat sein, ich bin sehr gespannt auf das mittelalterliche Städtchen."

„Könnte von der Richtung her stimmen." Thomas griff mit seinen langen dünnen Fingern nach dem Glas mit dem Rotwein und ließ ihn sanft hin und her schaukeln, bevor er einen Schluck nahm. „Ausgezeichnete Wahl", murmelte er.

Wie gutaussehend Thomas doch war. Vor allem seine Augen – mit einer Iris von fast unnatürlich intensivem Blau, das ans Türkis grenzte – waren bemerkenswert. Sie hatten Charlottes Mutter seinerzeit dazu veranlasst zu sagen: „Auf den musst du aufpassen." Ach ja, ihre Mutter, ein Thema für sich. Thomas scherte sich wenig darum, dass Frauen ihn attraktiv fanden. Sonst hätte er wohl auch sein dichtes, mittelbraunes, ziemlich langes Haar nicht sommers wie winters unter einer Mütze oder Kappe versteckt. Sein T-Shirt zierte heute der Schriftzug 'Ich würde dir ohne Bedenken meine Mütze schenken'. Charlotte war sich nicht sicher, ob er seine – nahezu sämtlich mit Sprüchen versehenen – T-Shirts und Sweatshirts bewusst nach den Texten auswählte oder einfach wahllos danach griff. Mit Anfang Zwanzig hatten sie sich kennengelernt, seit knapp siebzehn Jahren waren sie ein Paar, doch manchmal hatte sie das Gefühl, ihren Mann noch immer nicht richtig zu kennen.

Sie drehte sich zu ihm. „Warum hast du heute Morgen so getan, als sei es überhaupt kein Thema, nach Frankreich zu ziehen? Ich dachte, wir wären uns einig, das als Möglichkeit mal zu prüfen."

„War das nicht eher Spinnerei?"

„Spinnerei?" Charlotte richtete sich ruckartig auf. „Was soll das? Du bist doch derjenige, der sich über seinen Job beklagt und sich am liebsten selbstständig machen würde." Sie pflückte ein paar Weintrauben vom Stiel, es knackte vernehmlich, als sie sie im Mund zerdrückte. „Du schimpfst ständig über die starren Vorschriften in Deutschland, über die unglaubliche Bürokratie – keine Treppe ohne TÜV, kein Bleistift ohne DIN-Norm – Deine Worte. Und Dein Chef bremst dich aus. Träumst du etwa nicht davon, Gebäude in Eigenregie zu renovieren?"

„Ja schon", sagte Thomas gedehnt, „aber muss es dann gleich im Ausland sein?"

„In Deutschland ist so vieles festgefahren. Wir haben über Frankreich gesprochen. Hier gibt es ganz andere Möglichkeiten, und hier wäre es ein echter Neuanfang, Abenteuer pur, das wollten wir doch immer."

„Okay, lass' uns ein wenig rumspinnen." Er ignorierte, dass Charlotte die Augen verdrehte. „Aber doch nicht vor den Kindern! Anton ist sechs. Es macht ihm Angst, wenn du sagst, lass' uns unser Leben in Deutschland aufgeben und für immer nach Frankreich ziehen."

„Anton ist glücklich, wenn er seine Familie um sich hat. Völlig egal, ob in Deutschland oder Frankreich." Sie warf sich ein paar Weintrauben in den Mund, schloss die Augen und genoss die Süße.

„Lotti! Hast du bemerkt, wie verschreckt Anton gefragt hat: für immer?" (Thomas wusste, wie sehr seine Frau es hasste, wenn er sie Lotti nannte.) „Und willst du wirklich Emily mit ihren zwölf Jahren aus ihrer gewohnten Umgebung reißen und sie zu einem schulischen Neuanfang in einem fremden Land, mit einer fremden Sprache zwingen?" Er schüttelte den Kopf.

„Emily liebt Frankreich. Sie hat Französisch als erste Fremdsprache gewählt, nicht wir haben sie dazu gedrängt. Und sie erzählt gerne, sie hätte französisches Blut in den Adern, von ihrem Uropa." Charlottes Stimme bekam wieder diesen ganz bestimmten Klang, den Thomas so gut kannte. Eindringlich, bohrend. Er seufzte, nahm das Messer und verstrich ein wenig Ziegenkäse auf einem Stück Brot.

„Thomas, als Bauingenieur hast du super Chancen in Frankreich. Ich habe mich schlau gemacht im Internet." Sie beugte sich zu ihm. „Und als Physiotherapeutin finde ich so gut wie sicher einen Arbeitsplatz. Aber das ist nur für den Hinterkopf. Eigentlich ist ja unser Traum, alte Gebäude zu finden, zu renovieren und sie in Schmuckkästchen zu verwandeln. Schau dir diese Wohnung an, was die Vermieter aus dem ollen alten Haus gemacht haben. Du hast die Fotos im Flur gesehen." Charlottes Stimme klang nun zart schmelzend wie französischer Brie, und um Thomas' Lippen legte sich ein leichtes Lächeln.

Die Ferienwohnung war geräumig und hell und verfügte über zwei Terrassen und einen kleinen Garten mit einer Schaukel und einer steinernen Tischtennisplatte. Vor allem die Küche begeisterte sie beide, es fehlte an nichts, hier hatte jemand wirklich nachgedacht und sich in die Bedürfnisse von Urlaubern eingefühlt. Beim Blick in Schränke und Schubladen hatten sie alles gefunden, was man brauchte: Es gab genügend Messer (wichtig für Thomas) und Schneidebretter aus Holz in mehreren Größen (wichtig für Charlotte). Und genug Geschirr, sodass man nicht jeden Tag die Spülmaschine anwerfen musste.

Charlotte griff nach dem Ringordner, der umfangreiches Kartenmaterial und zahlreiche Tipps für Touren in der näheren und weiteren Umgebung enthielt, mit dicken farbigen Kartons thematisch unterteilt. „Guck mal, wie liebevoll das zusammengestellt ist. Das wäre dein Job. Und ich würde auf jeden Fall Blumensträuße in den Wohnungen verteilen, die müssen ja nicht riesig sein, ein Väschen mit ein paar Gräsern und einer einzelnen Blüte ...", sie verstummte, als sie Thomas' Gesicht sah.

„Blümchen? Wohnungen? Gleich mehrere?"

„Ja, nein, ich meine ja nur, natürlich würden wir mit einer Wohnung beginnen." Charlotte griff nach den letzten Weintrauben. „Leben und Arbeiten in Frankreich – wäre das nicht ein Traum?", sagte sie versonnen.

„Du stellst dir alles immer so einfach vor. Wie willst du das finanzieren?"

„Wir verkaufen unser Häuschen, wenn das nicht reicht, bitte ich meine Mutter um vorzeitige Auszahlung meines Erbes." Thomas verschränkte seine Arme. „Und du glaubst wirklich, deine Mutter macht da mit?" Charlotte zuckte mit den Schultern. Das würde nicht einfach werden, das war ihr natürlich klar. Die Beziehung zu ihrer Mutter war gelinde gesagt nicht die beste. „Dann müssen wir es eben anders schaffen", sagte sie mit trotzigem Unterton. Und schob betont langsam hinterher: „Das Einzige, was ich im Moment will, ist, dass wir beide uns darauf einigen, also, dass wir uns einig sind, dass wir es wollen würden." „Wir einigen uns, dass wir es wollen würden?" Thomas lachte, und Charlotte stimmte froh mit ein.

„Ich bin bereit, mich damit zu beschäftigen, aber nur, wenn wir die Kinder außen vor lassen. Komplett, Charlotte! Und ich möchte entspannt Urlaub machen."

„Das wirst du, das werden wir", sagte sie eifrig. „Wir halten unterwegs die Augen auf, vielleicht begegnet uns etwas Schönes. Und bei der nächsten Gelegenheit gehe ich alleine in eine Immobilienagentur in Sarlat, die Kinder bekommen das gar nicht mit. Aber wir brauchen eine Auflistung unserer Anforderungen, unserer Wünsche. Ich hole etwas zum Schreiben." Sie war schon halb auf dem Weg in die Wohnung, aber Thomas winkte ab. „Nicht mehr heute Abend."

„Aber morgen, versprochen?" Er lächelte leicht. „Ich würde nicht wagen, dir das abzuschlagen."

Charlotte ging mit einem Spruch ihrer Mutter zu Bett: 'Wer etwas will, findet Wege. Wer etwas nicht will, findet Gründe'. Sie würde Wege finden.

2

Am nächsten Morgen maulten die Kinder kurz, dass sie zu Fuß nach Sarlat laufen sollten. Der Weg begann unspektakulär; er führte sie den Hügel hinunter, vorbei an schlichten Einfamilienhäusern beidseits der Straße. „Toll hier", murmelte Emily und verzog das Gesicht, „Sarlat ist ja so schön." Charlotte, wie immer mit ihren langen Beinen mit forschem Schritt voraus, stoppte an einer größeren Kreuzung, um sich zu orientieren. „Geradeaus", rief Thomas. Sie folgten einer Weile einem unscheinbaren schmalen Sträßchen; nach einer Biegung blieb Charlotte abrupt stehen – „*et voilà*", rief sie und breitete die Arme aus. Sandsteinfarbene, mit Glyzinien berankte Altbauten säumten die gepflasterte Gasse rechts und links, an geschwungenen, schmiedeeisernen Halterungen baumelten kunstvoll beschriftete Schilder oder altertümliche Laternen. Vor einem Lädchen türmten sich Korbwaren auf dem schmalen Bürgersteig, dazwischen waren große und kleine hölzerne Gartenlaternen gruppiert: auf Stühlen, einem runden Tisch und schmalen Bänkchen. Eine mit Sukkulenten bepflanzte Zinkwanne stand auf einer schrägen Fensterbank, es sah so aus, als würde sie jeden Moment herunterrutschen. Gegenüber duftete es nach Kaffee und Croissants. Ein die Abschüssigkeit der Straße ausgleichendes, einfach gezimmertes Holzpodest beherbergte die Terrasse eines Cafés. Die meisten Tische waren besetzt. Drei Frauen waren in ein lebhaftes Gespräch vertieft. Die eine griff in ihren Korb, holte einen Käse heraus und pries ihn den anderen lautstark an, mit wild gestikulierenden Händen. Ein alter Mann war tief über die Tageszeitung gebeugt, hob den Kopf nur, um an seinem Kaffee zu nippen und die Tasse geräuschvoll wieder abzustellen. Es war eine Szenerie wie aus einem Reiseführer.

„Oh, schaut mal", rief Emily und blieb vor einem Lädchen stehen, in dem es Schmuck und allerhand Krimskrams gab. „Wir wollen uns erst mal einen Überblick verschaffen", sagte Charlotte, legte ihr die Hand auf die Schulter und wollte sie sanft weiter schieben. Mit einer abrupten Bewegung schüttelte Emily sie ab. Kurz darauf öffnete sich die Gasse auf einen in helles Licht getauchten großen Platz, von dem Stimmengewirr zu ihnen heraufdrang.

„*Place de la Liberté*", las Charlotte vor.

„Ich brauche meine Sonnenbrille", rief Emily. „Bitte sehr, eine Runde Sonnenschutz." Charlotte kramte aus ihrem Rucksack ein schickes, blau-grünes Modell für Emily, gab Anton seine kleine runde Brille und setzte ihr schon älteres Gestell auf. „Du könntest dir mal eine neue Sonnenbrille zulegen, Mama." Emily rümpfte die Nase. Charlotte lächelte etwas verkrampft. Sie war gewohnt, dass ihre Mutter an ihrem Äußeren herumkrittelte und kaum eine Gelegenheit ausließ zu sagen, sie sollte mehr aus sich machen. Ihre überschulterlangen, roten, lockigen Haare hatte Charlotte meist achtlos am Hinterkopf zusammengesteckt; zu ihrer Lieblingshose, einer weiten Jeans, die ihre schlanke Figur allenfalls erahnen ließ, trug sie meist schlichte T-Shirts und darüber nahezu immer ihre ausgebeulte graue Strickjacke. Aber dass ihre Tochter nun auch schon begann, sie kritisch zu mustern! „Wenigstens Wimperntusche und Lidstrich könntest du benutzen, Mama", hatte Emily vor Kurzem gesagt. „Deine Augen (sie waren groß und schilfgrün) sind ganz okay, aber ohne Schminke ..."

Charlotte schob die Ärmel hoch, atmete tief durch und betrat den Platz, der in seinem riesigen Rund wie eine Theaterkulisse wirkte. Vor den mehrstöckigen, honigfarbenen Häusern mit hohen, vielfach unterteilten Fenstern und den typisch französischen Klappläden, hatten die gut besuchten Cafés ihre Markisen ausgefahren. Dazwischen lockten viele kleine Geschäfte mit bunten Auslagen vor der Tür. Rechter Hand stieg der Platz ein wenig an, geführt von einem kleinen Mäuerchen, an das sich Touristen mit Reiseführern in der Hand anlehnten. Quer zur Laufrichtung saß oben auf einer etwas erhöhten Mauer eine lebensgroße bronzene Figur, ein Mann in lässiger Haltung. Die Beine waren leicht geöffnet vor dem Körper aufgestellt; die Arme berührten nur ganz leicht die Knie, baumelten entspannt vor dem Körper. Anton stürmte hinauf und rief von oben herunter: „Er sieht aus wie Papa!" Alle lachten, Charlotte sagte: „Ja, da ist was dran." Nicht nur dass die Figur üppiges, stark gewelltes Haar hatte, markant waren auch die dünnen langen Finger. Die waren es, die bei Thomas schnell ins Auge fielen. Wenn er stand, ließ er sie oft zu seinen Ohrläppchen wandern – als wüsste er nicht wohin damit. Seine ungewöhnlich langen dünnen Arme schob er im Sitzen häufig unter die Oberschenkel. Nachdem sie die Figur ausgiebig betrachtet hatten (Anton tätschelte ihr immer wieder über die Arme.), beugten sich alle vier über die Mauer und genossen den Blick auf den Platz hinunter. „Kein schlechter Ort", sagte Thomas, „hier hat man einen guten Überblick." „Deshalb haben sie ihn genau hierhin gesetzt", sagte Anton zufrieden. „Er hat alles im Blick."

„Habt ihr schon einmal so eine große Tür gesehen?" Thomas deutete auf eine schmale, extrem hohe, doppelflügige Tür zur Rechten. „Das war mal die Kirche *Sainte-Marie*, das ist heute ein Markt", sagte Charlotte, die im Reiseführer blätterte. „Es gibt in Sarlat achtundsechzig weltweit anerkannte historische Monumente, also los." Emily rollte mit den Augen, und Charlotte beeilte sich zu sagen: „Hier muss ein kleines nettes Plätzchen mit bronzenen Enten sein, mal sehen, wer das als erstes findet." Sofort setzte Emily sich in Bewegung, Charlotte und Thomas wechselten einen Blick. An Emilys Ehrgeiz zu appellieren funktionierte immer.

Die Kinder hatten inzwischen ihre Sweatshirts ausgezogen, ebenso Thomas, dessen Shirt heute der Schriftzug *Vive la France* zierte. Charlotte schlang ihre Strickjacke um die Taille, am liebsten wäre sie ewig stehengeblieben, um die Sonnenstrahlen auf der Haut auszukosten, der frühlingsfrischen Luft nachzuspüren und dem Treiben auf dem Platz zuzuschauen.

Drei Stunden später ließen sie sich erschöpft auf die Stühle eines Cafés fallen und schnatterten durcheinander, tauschten ihre Eindrücke aus. Jeder war auf seine Art begeistert, sogar die Kinder. Für Charlotte waren es nicht so sehr die Sehenswürdigkeiten, die sie so beeindruckten; es waren die gekrümmten, verwinkelten Gässchen in der durch und durch romantischen Szenerie, die vielen niedrigen Torbögen, die Ecken, Winkel und verzierten Dachfirste. Aus den dicht an dicht gestellten Tontöpfen auf den Balkonen, aufgereiht hinter schmiedeeisernen Geländern, duftete es durchdringend nach Basilikum, Zitronenmelisse, Pfefferminze, Salbei und nach Leben in südlichen Gefilden.

Thomas schwärmte von den Fotomotiven. Jedes Mal, wenn man um eine Ecke bog, eröffnete sich ein neues Bild, ein jedes ein Leckerbissen für einen Fotografen. Emily hatte das Fleckchen mit den Enten entdeckt. Und sie war fasziniert von dem wuseligen Treiben auf den vielen Plätzen. Vor allem die Jongleure hatten es ihr angetan. Anton war entzückt, weil er an einer Hausecke einen Minibalkon von der Größe eines kleinen Blumenkübels entdeckt hatte. Hinter dem Gitterchen saß ein Teddy, der mit seinen dunklen Knopfaugen auf sie herabsah. Und als er hörte, dass knapp dreißig Kinofilme in der Stadt gedreht worden waren, nahm er seinen Eltern das Versprechen ab, davon einige zu Hause anzuschauen. „Es ist cool hier, großartig", schob er nach, sein neues Lieblingswort, das er bei einer Nachbarin aufgeschnappt hatte.

Thomas schaute zu Emily. „Es ist okay", sagte sie und schob eine Haarsträhne hinters Ohr. Anton biss in seine mit Schokoladencreme gefüllte Crêpe, fuhr sich anschließend mit dem Handrücken über den Mund und verteilte die braune Masse schön gleichmäßig im Gesicht und an der Hand. Thomas konnte ihn gerade noch darin hindern, die Hand an der Hose abzuwischen.

Charlotte stieß einen glücklichen Seufzer aus und sagte: „Das Périgord ist eine historische Region. Es gibt unglaublich viele Burgen in der Gegend, die wir uns ansehen können. Und tolle Schlösser. Die sind viel uriger als die an der Loire, in denen sich die Touristen drängeln. Manche sind regelrechte Märchenschlösser. Und natürlich werden wir uns Kanus leihen und die Dordogne vom Wasser aus erobern", sagte sie mit Blick auf ihre Tochter, die eine Wasserratte war. Die nickte gelangweilt und sagte: „Lascaux mit seinen prähistorischen Höhlenmalereien interessiert mich am meisten." Thomas und Charlotte verzogen keine Miene, so kannten sie ihre Tochter, gerne ein wenig aufsässig, immer für eine Überraschung gut, und vor allem schlau und wissbegierig.

Als sie sich von ihren Stühlen erhoben, träge vom Essen, gewärmt von der Sonne, ertönten plötzlich Akkordeonklänge. Wenige Meter entfernt begann ein junger Mann in einem blau-weiß gestreiften Sweatshirt, die typische Baskenmütze auf dem Kopf, mit geschlossenen Augen Chansons von Jacques Brel zu spielen. Thomas blieb abrupt stehen, seine Hand zuckte zur Kamera, zu gern hätte er den Mann gefragt, ob er ihn fotografieren dürfte, aber Anton zog heftig an seinem Arm und Emily war schon ein paar Schritte entfernt. Thomas seufzte bedauernd. „Wir kommen doch wieder", sagte Charlotte.

3

Ja, wiederkommen würden sie. Nicht nur nach Sarlat. Das Périgord war mehr als eine Reise wert. Die zwei Wochen waren wie im Flug vergangen; sie waren ständig unterwegs gewesen, immer mit dem Gefühl, es gäbe noch so viel zu sehen und zu erleben. Sie hatten Anton versprochen, sich auf jeden Fall vor der Abreise noch einen Campingplatz im Hinterland von Sarlat anzuschauen. „Es ist ein ganz besonderer Zeltplatz, ein Glamping", hatte er eifrig erklärt. „Mit Luxus oder Glamour oder wie das heißt, auf jeden Fall großartig." Sein Freund hatte dort Urlaub mit der Familie gemacht und von den Safari-Zelten erzählt und dem tollen Unterhaltungsprogramm für Familien mit Kindern. Thomas und Charlotte wollten ihrem Jüngsten den Gefallen tun, obwohl sie die Zeit lieber genutzt hätten, um sich nochmals im Städtchen Sarlat umzuschauen, vor allem nach zum Verkauf stehenden Häusern. Die wenigen, die der Makler Charlotte auf Bildern gezeigt hatte, waren entweder vom Preis her indiskutabel, oder sie sahen alles andere als einladend aus. Charlotte musste sich eingestehen, dass sie sich die Sache deutlich einfacher vorgestellt hatte. Aber es würde nicht der letzte Urlaub in der Gegend sein, da waren Thomas und sie sich einig. Und sie würde das Thema Neuanfang in Frankreich zu ihrem Projekt machen. Es gab ein Buch, 'Auswandern für Dummies', das würde ihre Bibel werden.

Unterwegs stellten sie fest, dass sie nur eine ungefähre Vorstellung davon hatten, wo der Campingplatz zu finden sein sollte. Nachdem sie Sarlat verlassen hatten, führten die kleiner werdenden Straßen über sanft gewellte Hügel, vorbei an ausgedehnten Walnuss- und Obstplantagen, immer wieder boten sich ihnen weite Ausblicke. Sie fuhren durch mehrere kleinere Ortschaften, hielten vergeblich nach einem Hinweisschild Ausschau und wendeten mehrmals. Nach einiger Zeit des Herumirrens zuckte Charlotte mit den Schultern und zeigte nach rechts auf einen holprigen Feldweg. „Lass´ uns mal diesen Weg probieren, der Campingplatz muss hier irgendwo sein."

Thomas' Blick folgte zweifelnd ihrer ausgestreckten Hand. „Nur zu", ermunterte ihn Charlotte. Sie rumpelten über den enger werdenden Feldweg, die Gräser zwischen den Spurrinnen wischten am Bodenblech, ab und an schabten Zweige an den Seitentüren. Irgendetwas klapperte. Thomas stöhnte. Charlotte beugte sich vor und schaute intensiv nach rechts und links. Auf einmal tat es einen heftigen Schlag. „*Merde*", fluchte Thomas, „ich hoffe, das war nichts Schlimmes.",Ach was", sagte Charlotte leichthin. Thomas stieg aus, Charlotte ebenso.

„Schau dir diesen Stein an, wer fährt denn auch solche Wege!" Thomas beugte sich vor, um den Schaden zu begutachten. „Ich hab's mir gedacht, das Auspuffrohr ist fast durchgebrochen, und das wundert mich gar nicht. *Merde*, mitten in der Pampa. Wahrscheinlich ist das ein Privatweg, und wir bekommen Ärger. Was für eine blöde Idee!" Er zog seine Mütze ab und fuhr sich durchs dichte Haar. „Haben wir eine Getränkedose dabei?" „Wieso eine

Getränkedose?", fragte Charlotte verdutzt. „Nee, nur unsere Wasserflaschen."

„Was ist los?" Anton war ausgestiegen, Emily hatte das Seitenfenster heruntergekurbelt und lehnte sich hinaus.

„Mit einer Getränkedose könnte ich das provisorisch reparieren", sagte Thomas. „So können wir nicht weiterfahren. Der Auspuff fällt bald ganz ab. Und das Geräusch ist eine Zumutung."

„Und was machen wir jetzt?", fragten die Kinder unisono – Anton mit gespanntem Unterton, Emily mit leicht genervtem.

„Wenn ich eine Getränkedose hätte ..."

„Hätte, haben wir aber nicht. Jetzt gibt es erst einmal etwas zu essen und zu trinken, und wir überlegen, was zu tun ist. Es gibt immer eine Lösung." Charlotte holte für jeden einen Apfel aus dem Korb. Als sie Antons Gesicht sah, kramte sie nach etwas Süßem, fand aber nichts. „Hm, wir müssen erst einkaufen gehen", sagte sie. „Und wie und wo bitteschön?" Emily, die inzwischen auch ausgestiegen war, rollte mit den Augen.

Thomas ging hinter dem Auto in die Hocke, um den Schaden genauer in Augenschein zu nehmen, die Kinder lehnten sich an die Motorhaube, Charlotte lief auf und ab. Ein markantes Motorengeräusch veranlasste alle vier, sich umzudrehen. Ein Citroën 2CV, eine Ente, näherte sich in forschem Tempo und kam kurz vor ihrem Auto zum Stehen. Ein älterer Mann von rundlicher Statur, dunkel gekleidet, mit einer Baskenmütze auf dichtem grauen Haar, stieg aus und kam auf sie zu. Er trug Hosenträger, die seine wie ein Tönnchen geschnittene Hose bis fast unter die Brustwarzen hochzogen.

Sein „*bonjour, ça va?*" klang freundlich. Er beugte sich zu Thomas hinab und betrachtete den Schaden, wiegte den Kopf hin und her. „*Oh là là.*" Dann richtete er sich auf, zeigte nach vorn und sagte langsam, so dass sein Französisch gut zu verstehen war: „Da ist unser Haus, das Stückchen schaffen Sie mit dem Auto. Und dann reparieren wir." Er nickte zur Bekräftigung. „*C'est pas grand chose*, keine große Sache." Erneutes Nicken. „Dies ist kein Weg für ein normales Auto, das geht nur mit dem *deux chevaux.*" Er deutete auf die Ente, der stumpfe graublaue Lack wies an einigen Stellen Beulen auf, aber insgesamt machte das Gefährt noch einen rüstigen Eindruck. „Damit komme ich überall hin, so komfortabel gefedert ist kein anderes Auto, selbst die Eier bleiben ganz beim Transport." Stolz schwang in seiner Stimme. „Und wenn etwas nicht reinpasst, mache ich das Schiebedach auf. *Voilà.*" Er zeigte auf das halb aufgeschobene Faltdach. „*Allez*, fahren wir, nur ein Stück geradeaus. *Madame*, Sie gehen am besten zu Fuß mit den Kindern."

Thomas setzte sich ins Auto, es röhrte gewaltig, als er seiner Familie vorsichtig über den holprigen Feldweg folgte. Nach einer scharfen Biegung standen sie vor einer Toreinfahrt. An den verwitterten steinernen Pfosten rechts und links hingen verschnörkelte Eisentore schief in den Angeln. „*Allez, allez*", rief der alte Mann, den Kopf aus dem Klappfenster der Ente herausgestreckt, mit der linken Hand heftig wedelnd. Der Weg endete kurz hinter

der Einfahrt, und sie schauten auf ein flaches, lang-
gestrecktes, aus dem typischen hellen Stein gemauer-
tes Gebäude. Vermutlich eine alte Tabakscheune,
wie es sie in dieser Gegend häufig gab. Direkt ange-
baut war zur linken ein winziges Häuschen, nicht
größer als ein Schuppen, rechts ein geringfügig größeres, doppelstöckiges Haus. Beide hatten in einem
matten Rosa gestrichene Fensterläden und Haustüren, von denen die Farbe abblätterte. Der durch die
U-förmige Anordnung der Gebäude entstandene
Platz in der Mitte wurde beschattet von einem großen Kastanienbaum. Auf einer mit grauen Steinplatten ausgelegten Fläche stand ein langer Holztisch, an
einer Ecke bedeckt von einem verblichenen, mit
Steinen beschwerten Wachstuch. Rund um den
Tisch fand sich eine Sammlung unterschiedlichster
Stühle, allesamt nicht vertrauenerweckend. Die Sitzflächen der zwei Exemplare an der Ecke mit der
Tischdecke waren mit Kissen versehen. Ein goldfar-
bener Hund kam schwanzwedelnd um die Ecke gelaufen, sprang kurz an seinem Herrchen hoch und
schnüffelte dann an Charlotte und den Kindern.
Anton wich ein Stückchen zurück, Emily streckte
dem Hund die Hand hin, er schnupperte, dann ließ
er sich bereitwillig von ihr kraulen.

Der alte Mann deutete Thomas an, das Auto in
die hintere Ecke des Hofes zu fahren, zu einem großen offenen Schuppen. Er forderte Charlotte und
die Kinder auf, am Tisch Platz zu nehmen. Als er
ihren Blick bemerkte, grinste er. „Die Stühle haben
schon Generationen von uns getragen, nur Mut. Ich
bin Eduard", sagte er und streckte erst Charlotte,

dann den Kindern die Hand hin. Anton ergriff sie achtlos, dann lief er seinem Vater hinterher. Charlotte und Emily ließen sich vorsichtig nieder. Eduard verschwand in dem winzigen Häuschen und kam mit einem großen Tablett wieder, auf dem sich zwei Glaskaraffen mit Wasser und sechs Gläser befanden. Die Gläser waren fast blind, hatten aber wunderschöne Ziselierungen. Der Mann wischte mit dem Unterarm über die Tischdecke, die in ihren besseren Zeiten wohl grau-weiß gepunktet gewesen war, und stellte eine Karaffe vor Charlotte.

„Wir machen erst Ihr Auto fit, dann gibt es einen kleinen *apéro, Madame*", sagte er fast entschuldigend. Charlotte nahm eine der runden Wasserkaraffen in die Hand und strich mit ihrem Daumen über die auf beiden Seiten geprägten Sonnen. „Hübsch", sagte sie. Eduard nickte ihr zu und ging über den Hof zur Scheune, dort warteten Thomas und Anton bereits auf ihn.

Emily streichelte immer noch ausgiebig den Hund, der es sichtlich genoss, so viel Aufmerksamkeit zu bekommen. Charlotte lächelte, lehnte sich vorsichtig zurück. Dann ließ sie ihren Blick schweifen. Erst jetzt fiel ihr die großartige Aussicht auf. Der Hof befand sich auf einer Art Plateau und man hatte einen weiten Blick auf Wiesen und Felder im Vordergrund und endlos gestaffelte, sanft geschwungene Hügel am Horizont. Unendlich viele verschiedene Grüntöne (könnte man mit einem Malkasten nie so schön anmischen, dachte Charlotte) fügten sich zu einem harmonischen Bild zusammen, und sie atmete tief durch. In einiger Entfernung standen Kühe auf einer Wiese, die langsam herangetrottet kamen, am Zaun Halt machten und neugierig zu ihnen herüberglotzten. Sie schlüpfte aus ihren Sneakers und hielt ihre Füße in die schon kräftige Märzsonne, genoss die Wärme im Gesicht. Emilys schrille Stimme riss sie unsanft aus dieser Idylle:

„Mama, warum darf ich keinen Hund haben? Nenne mir einen vernünftigen Grund!"

„Aber Emily, darüber haben wir schon so oft gesprochen."

„Ein Grund, Mama, ein Grund, den ein vernünftiger Mensch akzeptieren kann."

„Unser Häuschen ...", setzte Charlotte an. „Andere Menschen leben in einer Wohnung und haben einen Hund. Ein Grund, Mama! Und keine deiner egoistischen Begründungen, die du einem immer vor die Füße knallst, wenn du etwas nicht willst."

„Jetzt mach aber mal halblang." Charlotte richtete sich auf, wappnete sich seufzend für eine dieser Auseinandersetzungen, die sie neuerdings häufiger mit ihrer Tochter hatte.

„Mama, so einen alten Rasenmäher hast du noch nie gesehen." Anton stand plötzlich vor ihnen, mit feuerroten Wangen und leuchtenden Augen. „Und in der Scheune steht ein komisches Moped, du musst mal mitkommen. Und einen Hühnerstall gibt es auch." Charlotte lächelte und strich ihrem Sohn liebevoll eine Haarsträhne zurück. Dann schaute sie zu den beiden Männern. „Und, läuft es wieder?"„*Bien sûr*", sagten Eduard und Thomas gleichzeitig und strahlten. Der alte Mann forderte Thomas auf, Platz zu nehmen, griff nach dem Tablett und verschwand in dem kleineren der Häuschen. Er kehrte mit einem Schälchen Oliven zurück. Quer unter die Hosenträger hatte er ein Baguette geschoben. Es duftete wie frisch gebacken. Beim nächsten Mal hatte er in der linken Hand einen Plastikkübel, mit der rechten hielt er eine Flasche Pernod in die Höhe, die er schwungvoll auf den Tisch stellte. Er rieb sich die Hände. „Jetzt gibt es einen *apéro*." Er griff nach einer kleinen Schaufel, Eiswürfel fielen klackernd in ein Glas. Dann goss er zwei Fingerbreit der milchigen Flüssigkeit darüber und füllte mit Wasser auf. Charlotte beugte sich vor und schnupperte, es roch nach Anis. Thomas ließ seinen Blick über das Gelände schweifen, nickte anerkennend und prostete Eduard zu. „Schön haben Sie es hier!" Eduard nickte. „Das Périgord gefällt Ihnen? Die meisten Touristen wollen am Meer sein." Er schob seine Daumen unter die Hosenträger und lehnte sich zurück.

„Wir lieben Frankreich und haben schon viele Urlaube im Land verbracht. Aber im Périgord sind wir zum ersten Mal. Die Gegend ist wunderschön und von Sarlat sind wir alle begeistert, auch die Kinder", sagte Thomas.

„Oh ja, es gibt hier viel zu besichtigen. Und so viele köstliche Spezialitäten zu entdecken." Eduard strich sich über den Bauch und begann die kulinarischen Schätze des Périgord aufzuzählen: „Trüffel, Walnüsse, Entenkonfit, sooo viele Käsesorten – dabei zog er die Hände wie eine Ziehharmonika auseinander –, und vor allem natürlich unsere berühmte *foie gras*." Er küsste sich die Fingerspitzen. Nie im Leben würde Charlotte *foie gras* essen, die Stopfleber von mit Überfütterung gequälten Gänsen, sie lächelte etwas verkrampft.

Emily kraulte immer noch ausdauernd den Hund, der sich an ihr Bein schmiegte. „*Monsieur*, was ist ...?" „Ein Golden Doodle", sagte Eduard. „Ein Golden Retriever?" „Nein, eine Mischung aus Pudel und Golden Retriever. Golden Doodle. Sein Name ist *Coeur de Lion*." Er schmunzelte. „Aber er hört auch auf Leo." „Oh, Löwenherz. Er ist so schön", sagte Emily andächtig. „Man müsste ihn mal bürsten", fügte sie vorsichtig hinzu. „Oh ja, das müsste man." Eduard nickte. „Das kann ich machen", rief Emily eifrig. „*Ben non*, keine Bürste." Der alte Mann zuckte mit den Schultern.

Anton, der sich inzwischen nach den mahnenden Blicken seiner Eltern zwar hingesetzt hatte, aber auf der vordersten Stuhlkante kippelte, meldete sich energisch zu Wort: „Ihr habt mir versprochen, das Glamping anzuschauen."

„Ah, das Glamping, *les Hollandais*", sagte Eduard und nickte wissend. Er zeigte in Richtung der offenen Scheune. „Aber dieses Mal dort lang. Dahinten ist die Zufahrt für die normalen Autos. Der kleine Weg ist nur für meinen *deux chevaux*." Er lächelte und die Falten breiteten sich über sein ganzes Gesicht aus. Wenig später verabschiedete man sich herzlich.

Dank Eduards Hinweisen gelang es ihnen nun, den Campingplatz zu finden. Es war ein riesiges Gelände mit einer ganzen Reihe fest installierter, möblierter Zelte, einem Schwimmbad, einem großen überdachten Gemeinschaftsplatz mit langen Tischen und gemütlichen Sitzecken und einem Spielgelände. Anton war restlos begeistert. Charlotte und Thomas beeindruckte am meisten das Waschhaus. Ein ehemaliger Schweinestall war umgebaut worden, und jede Familie hatte eine eigene, komfortable und hübsch ausgestattete Waschkabine. In einem separaten Raum waren Bettwäsche und Handtücher Kante auf Kante gestapelt. Alles machte einen sauberen, gut organisierten Eindruck. An jeder Ecke konnte man sehen, wie viel Liebe in diesem Projekt steckte, und Charlotte ging das Herz auf. So etwas wollte sie auch!

Da Eduard sich mit Händen und Füßen gegen eine Bezahlung gewehrt hatte, war klar, dass sie am nächsten Tag wiederkommen würden, mit Wein und Käse. Charlotte fand es wunderbar, dass sie ihren Urlaub nicht als Touristen, sondern mit einem Besuch auf dem Land, bei einem waschechten Franzosen in schöner Umgebung beschließen würden, wenn das kein gutes Omen war!

4

Natürlich hatten Thomas und Charlotte keinen Käse aus dem Supermarkt gekauft, sondern einen echten *fromage artisanal, fait maison,* hausgemacht, was Eduard wortreich würdigte. Anton bestand darauf, seiner Mutter Rasenmäher und Moped zu zeigen. Eduard folgte ihnen. Seine Daumen unter die Hosenträger geklemmt, verschmitzt lächelnd, erzählte er, wie er als Junge mit dem museumsreifen Gefährt durch die Gegend geknattert war. Anton hing an seinen Lippen, auch Thomas wirkte gebannt. „*Allez*", Eduard wedelte mit der Hand und forderte sie auf, ihm zu folgen: In der hintersten Ecke der Scheune stand ein völlig verhülltes Fahrzeug. Er zog das riesige Tuch herunter, eine mächtige Staubwolke entstand und Charlotte hauchte: „Oh!" Andächtig strich sie über den Kotflügel eines mintfarbenen Citroën DS mit weißem Dach. „Man nennt den Wagen die Göttin", sagte sie zu Anton. „Die Göttin", wiederholte er andächtig.

Eduard führte sie stolz über das Gelände. Es war größer als erwartet. Hinter der Scheune gab es einen kleinen Abhang, der zu einem weiteren Plateau von der Größe eines halben Fußballfeldes führte, mit grandioser Aussicht; die Fläche grenzte zur rechten an ein Wäldchen. Charlotte trat an einen runden, steinernen Brunnen mit verrosteter Pumpe, er war fast völlig mit Efeu überwachsen. „Verwunschen wie beim Froschkönig", sagte sie und Thomas nickte. Als sie zum Sitzplatz unter dem Baum zurückschlenderten, blieb Charlotte vor dem größeren

Häuschen stehen und zeigte bewundernd auf die schlichte Eingangstür, die mit einem wunderschönen Türklopfer versehen war – ein Löwenkopf, eng umschlungen von einer Schlange. Sie trat näher, um das Prachtstück zu bewundern. „*Alors, entrez, c'est ouvert*, es ist offen, treten Sie ein." Das ließ Charlotte sich nicht zweimal sagen. Thomas, Anton und Eduard folgten ihr ins Innere. Hier wohnte ganz offensichtlich niemand, im ersten der kleinen Räume, augenscheinlich die Küche, türmte sich ein Häufchen abgeschlagener Fliesen, Mörtelsäcke lagen auf dem Boden, eine Leiter lehnte an einer Wand, auf einem wackeligen Holztisch lagen diverse Werkzeuge. Im nächsten Raum hing am Fensterrahmen ein zerschlissenes, verdrecktes Männerhemd. Unter einem mit Farbe bekleckerten Stuhl lagen mehrere Weinflaschen und eine Bierdose. Es roch nach Knoblauch.

„Aber wo wohnen Sie?", fragte Thomas irritiert.

„*Eh bien*, in dem Häuschen auf der anderen Seite. Es ist klein, aber es geht für uns beide."

„Für uns beide?"

Eduard lachte, als er die Verwirrung seiner Gäste sah. „Mein Bruder und ich. Dies hier wollte unser Neffe für uns renovieren, er hat angefangen" – er breitete die Arme aus und ähnelte einer Vogelscheuche – „und dann ist er verschwunden, nach Kanada. Einfach so – die Jugend, *c'est la vie*." Er zuckte mit den Schultern, schob seine Daumen unter die strammen Hosenträger und ließ sie knallen. „Aus den oberen Zimmern hat man einen tollen Blick. *Allez*." Die schmale Holztreppe knarrte unter seinen Füßen, Charlotte und Thomas folgten ihm, Anton rannte zurück in die Scheune. In der Tat war die Aussicht aus zweien der kleinen Zimmer überwältigend.

Als sie wieder alle um den langen Tisch saßen, und Charlotte gerade fragen wollte, was denn mit dem Haus passieren würde, knirschten Schritte auf dem Kies und ein großer dünner Mann, der sich auf einen Stock stützte, näherte sich ihnen.

„*Mon frère jumeau*, Philippe", stellte Eduard vor.

„Ah, *frère*", sagte Anton erfreut, mitreden zu können, und deutete auf Emily, „ich auch *frère*." „Nein, *frère jumeau*", sagte Eduard, „beide geboren am selben Tag."

„Zwillinge", sagte Charlotte, und die Kinder blickten verwundert zwischen den beiden Männern hin und her, die unterschiedlicher nicht hätten sein können. „Echt jetzt?", stieß Anton hervor. „Bei zweieiigen Zwillingen kann das so sein", erklärte Thomas. „Großartig", sagte Anton.

Charlotte erzählte von den Zwillingen in der Familie ihres Vaters, die sich so ähnlich sahen, dass man sie kaum auseinanderhalten konnte, was die beiden als Kinder weidlich ausgenutzt hatten. Und natürlich erwähnte sie, dass ihr Opa in Frankreich geboren war. Emily versuchte dem Gespräch zu folgen, ab und an nickte sie zufrieden. Anton begann sich zu langweilen und trollte sich wieder zu den Hühnern. Nachdem sie eine Weile über das Thema Zwillinge und Familienverhältnisse geplaudert hatten (nach anfänglichem Holpern lief es ganz gut mit dem Sprechen), lenkte Charlotte das Gespräch vorsichtig auf das soeben besichtigte Häuschen zurück. Philippe kommentierte das Verschwinden des Neffen deutlich schärfer als sein Bruder. „Das macht man nicht, etwas versprechen und dann abhauen." Er stieß den Stock in den Kies.

„Aber dein Bein und die Treppen, es wäre doch sowieso schwierig geworden, dort zu wohnen", sagte Eduard beschwichtigend.

„Aber im Dorf wohnen will ich auch nicht", sagte Philippe und fuchtelte mit seinem Stock in der Luft.

„Das Häuschen unserer verstorbenen Schwester steht leer, es wäre so gut geeignet für uns." Eduard schob seine Hände unter die Hosenträger und rollte leicht mit den Augen. In Charlottes Kopf machte es 'klick' und kleine Rädchen begannen sich zu drehen.

Emily, die schon eine ganze Weile auf ihrem Stuhl herumgerutscht war, fragte leise: „Wo ist die Toilette?" Eduard zögerte kaum merklich, dann stand er auf und ging mit ihr in das kleine Häuschen. Als sie zurückkamen, stieß er einen tiefen Seufzer aus und sagte: „Es muss etwas passieren, im Sommer ist es in Ordnung, aber im Winter wäre eine richtige Toilette nicht schlecht. Es gibt nur einen kleinen Verschlag, hinter dem Häuschen." Er grinste verlegen. „Oh", sagte Charlotte, „das ist auf Dauer sicher nicht angenehm." „Alles okay", sagte Emily schnell.

Eduard begann abrupt, den Tisch abzuräumen, er stellte alles auf das Tablett und sein Gesicht verschloss sich. War ihm die Toilettengeschichte peinlich? Charlotte lächelte ihm freundlich zu, versuchte das Gespräch wieder auf das alte Moped zu lenken, doch Eduard biss nicht an, rutschte unruhig auf dem Stuhl hin und her, und so sahen sie sich veranlasst, aufzubrechen.

Im Auto erzählte Emily, dass es kein Badezimmer im Häuschen gab, die alten Männer mussten sich in der Küche waschen. Charlotte spitzte die Ohren, in ihrem Kopf ging es nach wie vor rund, sie hielt die Augen auf, um sich die Umgebung anzusehen. Wo war der nächste Supermarkt, gab es einen Bus, gab es Einflugschneisen, Strommasten, Mülldeponien? Wie weit war es bis zum nächsten Dorf, wie weit bis Sarlat? Voller Ungeduld ließ sie das Abendessen über sich ergehen, konnte es kaum erwarten, bis die Kinder sich in ihr Zimmer zurückgezogen hatten. „So etwas wäre toll", platzte sie heraus, als Thomas und sie die Abreise vorbereiteten, ihren Küchenkram zusammensuchten und in einer großen Klappkiste verstauten.

„Was meinst du?"

„Na was wohl, natürlich den Hof der Zwillingsbrüder."

„Jetzt mal langsam." Thomas, der gerade die Teebeutel in einem Karton verstaute, drehte sich um und schaute sie verständnislos an.

„Schau mal, aus dem kleinen Häuschen wollen sie ausziehen – in das größere Haus können sie aber nicht einziehen." Mit einem riesigen Küchenmesser in der einen, einem Handtuch in der anderen Hand, beugte Charlotte sich vor und schaute ihn eindringlich an. „Versteh doch, selbst wenn es renoviert wäre, Philippe hat Probleme mit Treppen. Über kurz oder lang müssen sie woanders wohnen. Er hat zwar gesagt, er will nicht in das Haus der Schwester im Dorf einziehen. Aber eigentlich bleibt ihm doch nichts anderes übrig."

„Lotte!" Thomas wich ein Stück zurück, sein langer dünner Zeigefinger war anklagend auf das Messer vor ihm gerichtet. „Ich versteh' dich nicht. Das ist viel zu weit draußen. Denk doch mal an die Kinder. Was ist mit Schulen? Die Rede war von Sarlat, allenfalls der näheren Umgebung."

„Die beiden holländischen Kinder müssen schließlich auch irgendwo zur Schule gehen. Und hast du die Preise in Sarlat gesehen?", fragte Charlotte spitz. „Wir könnten doch wenigstens noch einmal vorbeifahren und fragen."

„Philippe hat gesagt, er will nicht ins Dorf ziehen. Und die beiden kommen in ihrem Mini-Häuschen noch zurecht, du verrennst dich da in etwas", sagte Thomas ärgerlich. „Außerdem waren sie plötzlich so wortkarg." Er stapelte die Kartons mit den Teebeuteln in die Kiste, für ihn war das Thema erledigt. „Ich packe jetzt das Auto." Er wandte sich zum Gehen, blieb aber stehen, seufzte und verharrte, die Kiste vor den Bauch gedrückt, an der Anrichte. „Schön finde ich den Platz auch, sogar sehr schön."

Charlotte legte das Messer behutsam in die Schublade, drehte sich um, hängte das Handtuch an den Haken. Sie verschränkte die Arme, beobachtete, wie ihr Mann die Kiste abstellte und an seinen Ohrläppchen zupfte, wartete geduldig. Thomas zog die Schultern hoch, ließ sie eine Weile oben, ließ sie mit einem tiefen Seufzer fallen und sagte: „Wenn du meinst."

„Kostet uns doch nix", sagte Charlotte. „Doch, wir waren uns einig, uns früh auf den Heimweg zu machen, wir haben eine lange Strecke vor uns. Aber wenn wir nicht vorbeifahren, machst du mir die Rückfahrt zur Hölle." Thomas seufzte erneut und schüttelte den Kopf.

„Dass der Auspuff kaputt gegangen ist, war ein Zeichen. Vertrau mir." Sie griff nach seinen Händen und begann sie mit ihren Daumen zu streicheln. Er entzog sich ihr. „Aber was sagen wir den Kindern?"

„Anton wird sich freuen, wenn er noch mal auf dem Gelände rumlungern kann, und für Emily kaufen wir eine Hundebürste." „Ich kapituliere." Thomas hob die Hände in einer Ergebungsgeste, Charlotte ging auf ihn zu und klatschte ihn ab.

Vor neun Uhr am nächsten Morgen trauten sie sich nicht, bei den Zwillingsbrüdern aufzutauchen. Die Kinder hatten sich zwar gewundert – sie fuhren schon wieder zum Hof? Am Tag der Abreise? Aber sie hatten sich schnell arrangiert; Emily hielt die ganze Fahrt über die Hundebürste in der Hand, Anton eine große Tüte mit Croissants, deren Duft das Wageninnere erfüllte.

Sie wurden wie alte Bekannte begrüßt. Die Kinder trollten sich, die Erwachsenen hatten kaum auf den Stühlen Platz genommen, als Charlotte, Thomas' warnende Blicke ignorierend, sagte: „Könnten Sie sich vorstellen, den Hof zu verkaufen?"

Thomas räusperte sich. „Was meine Frau meint, ist ...."

Eduard lächelte breit. „*Eh ben*, ich habe schon gemerkt, dass Ihnen das hier gefällt. Wir haben tatsächlich schon über Verkaufen nachgedacht, *pas vrai*, nicht wahr, Philippe? Und jemand wie Sie ...."

„Aber was wollen Sie denn hier?" Das klang äußerst schroff. Philippe hatte sich vorgebeugt und schwer auf seinen Stock gestützt. Ausnahmsweise war Thomas mal schneller. Bevor Charlotte etwas sagen konnte, erklärte er den Brüdern, dass sie auf der Suche seien nach einer Herausforderung, dass sie einen Traum hätten, den Traum von einem Neubeginn, am liebsten im wunderschönen Frankreich. Und dass sie das Gefühl hätten, für die Brüder sei die Wohnsituation unbefriedigend, deshalb, na ja, deshalb wären sie auf die Idee gekommen, das Thema anzuschneiden. Und dieses Gelände, es sei einmalig schön. Er machte mit der rechten Hand eine ausladende Bewegung, die mit seinen langen Armen und Fingern geradezu theatralisch wirkte.

„Genau deshalb will ich hier nicht weg." Philippe schüttelte den Kopf und stieß den Stock energisch in den Kies.

„Aber im Dorf wäre vieles für uns einfacher", sagte Eduard und wandte sich zu Thomas und Charlotte. „Im Haus unserer Schwester ist genug Platz für uns beide, und es bietet viel mehr Komfort. In jeder Beziehung." Etwas verschämt kratzte er sich am Kopf. „Und keine Treppen." Dabei nickte er in Richtung Philippe. „Aber Dorfbewohner, die kein Mensch braucht", knurrte der. „Wir wohnen hier seit über sechzig Jahren, es ist das Haus unserer Eltern, hier haben wir unsere Ruhe, hier fühle ich mich wohl." Er warf seinem Bruder einen scharfen Blick zu. „Ich hole Pastis", sagte Eduard und stand auf.

„Es ist nur eine Idee. Mögen Sie nicht mal darüber nachdenken? Es würde bedeuten, *faire d'une pierre deux coups*, zwei Fliegen mit einer Klappe schlagen. (Charlotte war sehr stolz auf diesen französischen Ausdruck, den sie gerade erst gelernt hatte.) Sie machen sich das Leben leichter, und wir können uns einen Traum erfüllen – und Sie bekommen nette Nachbarn, die sich später um Sie kümmern könnten. Das ist doch auch etwas wert." Sie lächelte Philippe gewinnend zu.

Besonders diplomatisch fand Thomas den Spruch mit den zwei Fliegen nicht, aber nachdem sich Philippes Augen verengt hatten, entspannten sich seine Züge etwas. „Immerhin haben sie nicht von 'Win-win' gesprochen", brummte er, „wie es unser Neffe immer tut." Er nahm seinen Stock und klopfte leicht gegen sein Bein. „Schlimmer werden sollte es nicht", murmelte er.

Eduard wirkte sehr zufrieden, als er, mit dem inzwischen vertrauten Tablett in der Hand, wieder auftauchte und in die Runde schaute. Thomas sagte: „Auch wir müssen uns das gründlich durch den Kopf gehen lassen, es gibt vieles zu bedenken – aber wir möchten auf jeden Fall unser Interesse bekunden – falls ein Verkauf für Sie infrage käme." Charlotte, die am liebsten aufgesprungen wäre, um ihren Mann zu drücken, begnügte sich mit seiner Hand unter dem Tisch, die sie fast zerquetschte. „Es wäre schön, wenn Sie uns Ihre Telefonnummer geben könnten. Aber am besten rufen Sie uns an, wenn Sie sich im Klaren darüber sind."

Thomas räusperte sich und fragte zögernd: „Dürfen wir ihnen ein paar Fragen stellen zu Ihrem Anwesen?" Als Eduard nickte, begann er: „Wo genau verläuft die Grenze? Ist der Hof noch verschuldet? Ist es erlaubt zu bauen?" Eduard beantwortete alle Fragen willig. Aber als Thomas abschließend vorsichtig nach einer groben Preisvorstellung fragte, zuckte er mit den Schultern, sein Gesicht verschloss sich, und er sagte, darüber hätten sie sich nun wirklich noch keine Gedanken gemacht.

Um elf Uhr verließen sie den Hof, mit viel zu viel Pastis im Bauch, einer Telefonnummer in der Tasche, und zwei verwunderten Kindern im Auto — ihre Eltern drückten doch sonst immer so auf die Tube, wenn es heimwärts ging ...

5

„So kannst du nicht gehen, das ist zu kalt." Charlotte deutete auf Emilys ärmelloses T-Shirt. „Aber das habe ich in Frankreich ständig angehabt." „Da war es auch deutlich wärmer", sagte Charlotte, „willkommen in Deutschland."

Sie stand vor dem Familienkalender an der Küchenwand. Die Spalten für alle vier Personen waren dicht in verschiedenen Farben beschrieben, manche Eintragungen waren kaum leserlich zwischen und über die Zeilen gequetscht. Charlotte entfuhr ein Seufzer. Beide Kinder hatten Arzttermine, die mit Fahrerei verbunden waren und somit sicher viel Zeit kosten würden. In Thomas' Firma stand ein größeres Projekt kurz vor dem Abschluss, und da er maßgeblich daran beteiligt war, kam er meistens erst sehr spät nach Hause. Sie sah, dass er zwei Samstagvormittage für die Firma geblockt hatte. Bingo, damit blieb auch der Fahrdienst für Antons Fußballmannschaft an ihr hängen, und am Donnerstag war sie an der Reihe, ihre Tochter und deren Freundin zum Ballett zu bringen. Zum Klavierunterricht fuhr Emily zum Glück inzwischen mit dem Fahrrad. Ihr Elternabend stand an, Thomas hatte versprochen, hinzugehen, aber Charlotte wusste aus Erfahrung, dass das im letzten Moment noch kippen konnte. Für Feiern in Antons Kita mussten Kuchen gebacken werden. In der Physiotherapie-Praxis war jemand ausgefallen und Charlotte war gefragt worden, ob sie ein paar Stunden mehr als üblich arbeiten könnte. Es passte ihr überhaupt nicht, aber in der Vergangenheit hatten ihr mehrmals Kolleginnen aus der Patsche geholfen, als sie in Zeitnöte wegen der Kinder geraten war. Also sagte sie natürlich zu.

Dennoch war eine ihrer ersten Taten nach der Rückkehr aus Frankreich gewesen, sich für einen französischen Konversations-Kurs in der Volkshochschule anzumelden; wie eine Löwin kämpfte sie für diese Abendtermine. Sie hatte Thomas gefragt, ob er nicht mitgehen wollte. Er hatte abgelehnt – zu viel zu tun –, doch dann hatte sie zufällig gesehen, wie er an seinem Computer saß und Duolingo geöffnet hatte, ein Online-Sprachtool. Sie hatte nichts gesagt, aber das warme Gefühl hatte sie durch den Abend getragen.

Der kleine gelbe Zettel mit der Telefonnummer der französischen Brüder klebte direkt unter der Spiralbindung des Kalenders, wie ein Fähnchen ragte er über den Rand hinaus. Charlottes Blick fiel ständig darauf, manchmal durchzog sie ein merkwürdiges Gefühl. Es Hoffnung zu nennen, wäre nicht richtig gewesen, es war eine Art Sehnen, ein sich-fort-Träumen, ohne dass es an einen bestimmt Ort gebunden gewesen wäre. Einmal hatte Emily, als sie in der äußeren Spalte des Kalenders für 'Besonderes' etwas einschreiben wollte, den Zettel abgenommen und am unteren Rand angepinnt. Als Charlotte in die Küche kam, sah sie das gelbe Stückchen Papier nicht auf den ersten Blick. Die Heftigkeit ihrer Reaktion überraschte sie selbst. Es war eine Mischung aus Schreck, Angst und Ärger. Als sie gerade angesetzt hatte, „wer hat ...?, wo ist ...?, das kann ja wohl nicht ...", entdeckte sie den Zettel mit der kostbaren Telefonnummer im unteren Teil des Kalenders. „Der darf nicht verlorengehen", fauchte sie. Emily, die am Küchentisch saß und mit ihrem Handy spielte, zuckte mit den Achseln. „Er hängt doch da. Wenn der so wichtig ist, dann tu ihn woanders hin." „Alles, was hier hängt, ist wichtig, sonst würde es nicht hier hängen", entgegnete Charlotte. „Du und deine oberwichtigen Termine", murmelte Emily. „Es sind unsere Termine, und wenn ich nicht den Laden zusammenhalten würde, würde hier gar nichts gehen", sagte Charlotte mit mühsam unterdrücktem Zorn. Emily rollte mit den Augen und wandte sich wieder ihrem Smartphone zu. Charlotte hatte das Blättchen demonstrativ am alten Platz befestigt, dieses Mal mit drei Stecknadeln. Nachdem Emily aus der Küche gegangen war, hatte sie die Telefonnummer zusätzlich in ihr Notizbuch geschrieben.

Das nächste Wochenende im Kalender war grün schraffiert, KÖLN stand in schwarzen Großbuchstaben dazwischen. Dort lebte Thomas' Familie. Charlotte ließ ihren Blick suchend tiefer sinken, ja, einer der kommenden Samstage war mit MAMA beschriftet.

Der Besuch bei den Schwiegereltern kam Charlotte gerade recht. Sie mochte Regine und Richard gerne, und sie brannte darauf, endlich mit jemand Kompetentem über ihre Pläne zu reden. Sie hatten kürzlich gegenüber ihren besten Freunden Luisa und Daniel das Thema angeschnitten, waren aber über allgemeine Gedanken zum Auswandern, vor allem Bedenken hinsichtlich Sprache und Finanzen, nicht hinausgekommen. Ganz nervös hatte Charlotte diese Unterhaltung gemacht. Wie konnte man nur so skeptisch sein!

Ihre Schwiegereltern waren freundliche und patente Menschen, die sie von Anfang an sehr herzlich in ihre große Familie mit den vier Söhnen aufgenommen hatten. Richard, Thomas' Vater, war ein Bastler, er hatte sowohl den Schuppen im Garten als auch die Garage selbst gebaut, die Terrasse kürzlich neu gepflastert, und auch im Haus fand er ständig Gelegenheit, etwas auszubessern, etwas zu verschönern. Richard würde sie verstehen. Bei Regine, ihrer Schwiegermutter, war sie sich nicht so sicher. Und wie würde Moritz reagieren? Thomas jüngster Bruder lebte mit seinen sechsundzwanzig Jahren noch bei den Eltern. Er hatte seit frühester Jugend mit psychischen Problemen zu kämpfen gehabt und seiner Familie viele Sorgen bereitet. Richard und Regine taten sich schwer, ihn in die Selbstständigkeit zu entlassen. Phasenweise lebte Moritz in seiner eigenen Welt. Außerdem zog er sein rechtes Bein nach – die Ursache war ein Rodelunfall mit fünf Jahren, an dem Thomas nicht ganz unschuldig war. Er hatte den kleinen Bruder zur Abfahrt an einem extrem steilen Hang überredet und als Lenker die Kontrolle über den Schlitten verloren. Die wilde Fahrt endete an einem Baum und alle waren sich einig, dass die Brüder riesiges Glück gehabt hatten – es hätte viel schlimmer ausgehen können. Da Moritz von Geburt an das Sorgenkind seiner Eltern gewesen war, fühlte Thomas sich schuldig und kümmerte sich besonders intensiv um seinen jüngsten Bruder. Wenn der sich wieder einmal völlig von der Außenwelt zurückzog, schaffte Thomas es immer, einen Zugang zu ihm zu bekommen.

„Wir sollten deinen Eltern erzählen, dass wir darüber nachdenken, ins Ausland zu gehen", sagte Charlotte, als Thomas und sie spätabends in der Küche waren. Charlotte buk zwei Kuchen für Antons Kita. Thomas bereitete einen Kartoffelsalat vor, den sie mit zu seinen Eltern nehmen wollten. Moritz liebte Thomas' Kartoffelsalat und Emily aß meistens nichts anderes bei ihren Großeltern.

„Tun wir das?", fragte Thomas und stellte die Flasche mit dem Öl ab. „Ach komm", sagte Charlotte augenzwinkernd und ließ den Finger einen Moment auf dem Einschaltknopf des Mixers ruhen, „du willst es doch auch." Nachdem sie die beiden Quirle ausgiebig abgeleckt und in die Spüle gelegt hatte, lehnte sie sich an das Becken und schob ihre Hände in die Taschen ihrer Jeans. „Wenn es bei den Brüdern nicht klappt, dann suchen wir nach etwas anderem."

„So etwas Schönes muss man erst noch einmal finden", sagte Thomas und begann die Kartoffeln in die Schüssel zu schichten. „Das wird schon", sagte Charlotte leichthin, obwohl sie insgeheim auch große Zweifel hatte – das Anwesen der Brüder war einfach zu perfekt. Und nicht sie hatten es gefunden, sondern es hatte sie gefunden. Das konnte kein Zufall sein. Wenn die Brüder nur endlich anrufen würden. Sie strich den Kuchenteig in der Form glatt, schob ihn in den Ofen, griff nach Teigschaber, Quirl und Kochlöffel und ließ Wasser in die Spüle ein. Thomas öffnete den Kühlschrank. „Der Hof ist leider viel zu weit draußen." Er holte eine Packung

47

Speck heraus. „Wir würden die Kinder entwurzeln, und es würde sie in ihrem Reifeprozess zurückwerfen."

„Entwurzeln, zurückwerfen." Charlotte tippte sich mit dem Finger an die Stirn und sagte hitzig: „Es würde den Horizont der Kinder erweitern, sie zu Toleranz und Flexibilität erziehen." Sie nickte nachdrücklich. „Und nach einer Eingewöhnungszeit würde es sie sogar selbstständiger und unabhängiger werden lassen."

„Aber wie lange würde diese Eingewöhnung dauern?" Thomas fummelte an der Packung Speck herum, fluchte, wandte sich ab und riss sie mit den Zähnen auf, was Charlotte mit Unbehagen registrierte. (Eigentlich war das nicht Thomas' Art.) „Und was unsere Familien angeht, das Périgord ist so verdammt weit weg. Meine Eltern – du kennst sie, über die Grenzen von Deutschland kommen sie nicht mit ihrem Wohnmobil. Sie würden uns nie besuchen. Schon allein, weil sie Moritz nicht alleine lassen würden. Und mich braucht er auch."

Charlotte seufzte. Sie konnte zwar verstehen, dass Thomas sich ein Stück weit für den jüngeren Bruder verantwortlich fühlte, und sie beneidete ihn glühend um die Verbundenheit mit seiner Herkunftsfamilie, aber Thomas musste doch auch mal an seine neue Familie denken. An seine und ihre Wünsche.

„Moritz geht auf die Dreißig zu." Sie fuchtelte mit dem tropfenden Teigschaber in der Luft herum. „Er fühlt sich in der Schreinerei wohl. Und er hat inzwischen Freunde." Sie zwängte die Kochlöffel in ein Gefäß auf der Fensterbank. „Außerdem kommt er immer besser allein zurecht. Deine Eltern würden deinem Glück nicht im Weg stehen, da bin ich mir sicher." „Wer sagt denn, dass es mein Glück wäre?" Thomas warf klitzekleine Speckwürfel in die Pfanne, schob sie mit dem Pfannenwender hin und her, es brutzelte leise und die Röstaromen verströmten einen verführerischen Duft.

Charlotte hatte seit Tagen auf einen ruhigen Moment gehofft, an dem sie das Thema Auswandern vertiefen konnten, mit einem schönen Glas Wein, notfalls auch beim Arbeiten in der Küche. Aber sie sah ein, dass dies nicht der richtige Moment war. Thomas wirkte angespannt und fahrig, und sie musste noch einiges zusammenpacken für das Wochenende bei seinen Eltern. Das Anwesen der Brüder hatte auch in Thomas ein Feuer entzündet, das zumindest war sicher. Vieles stimmte auf dem Hof. Natürlich hatten sie ursprünglich einen Standort in Sarlat vor Augen gehabt. Aber war das nicht sowieso unrealistisch wegen der Preise dort? Auf jeden Fall war die Zeit reif, diese Gedanken vor anderen auszusprechen. Die Träume in Worte zu fassen und sie damit wie in der Luft schwebende Ballons an ihren Strippen nach unten zu ziehen und zu erden. Sie mochte noch nicht darüber nachdenken, wie ihre Mutter reagieren würde. Es war gut, mit Thomas' Eltern zu beginnen. Sie waren so viel zugewandter als ihre Mutter, sie waren liebevoll um das Wohl ihrer Kinder besorgt.

6

Das Wetter am nächsten Tag meinte es gut mit ihnen. Nur ein leichter Windzug strich ab und an über die Terrasse des kleinen Häuschens in Köln, und es war warm genug, um draußen zu sitzen. Regine, Thomas' Mutter, stellte wie immer schwungvoll eine riesige Schüssel mit Kartoffelsalat auf den bereits üppig bestückten Tisch – obwohl sie doch wusste, dass Thomas seit Jahren seinen Kartoffelsalat mitbrachte. Sie quittierte das regelmäßig mit einem Stirnrunzeln, für das weibliche Wohl zu sorgen war ihre Domäne. Emily weigerte sich beharrlich, den Salat zu essen. „Der hat viel zu viel Mayonnaise, Oma." Regine kümmerte das nicht. Sie war die Gastgeberin, sie war für das Essen zuständig. Einer ihrer Lieblingssprüche war: „Lasst mich euch doch ein bisschen verwöhnen."

Sie war eine kleine, mollige Frau mit einem praktischen, von zahlreichen grauen Fäden durchzogenen Kurzhaarschnitt. Hinter sehr dicken Brillengläsern blickten einen ihre warm-grauen Augen freundlich an. Bis weit in den Herbst war sie gebräunt, ihre Hände waren übersät mit Altersflecken. Ihr Mann Richard stand am Grill und wendete die Würstchen, Rauchschwaden zogen durch den Garten. Er war mittelgroß mit einem kleinen Bäuchlein. Sein spärlicher Haarwuchs betonte die kugelrunde Kopfform. Anton und Emily hatten bei den Großeltern einmal einen Comic-Bildband 'Vater und Sohn' gefunden und ausgerufen: „Der sieht ja aus wie Opa". Mit einer gewissen Berechtigung, obwohl der Schnauzbart bei Richard fehlte. Aber auch er trug ständig eine Art Wams, wie die Comicfigur. Es war eine braune, inzwischen überaus speckige Weste mit gefühlt zwanzig Taschen, in denen er alles Mögliche aufbewahrte und immer mal wieder etwas herauszauberte. Es war immer noch Antons liebstes Spiel, in Opas Jacke nach Schätzen zu suchen. Einmal hatte er im Sommer ein zerdrücktes Osterei in einer der Taschen gefunden. Richard hatte behauptet, das trage er immerzu bei sich, um den Osterhasen bei Laune zu halten. Für Anton war es eine Wunder-Weste, und nicht nur deshalb liebte er seinen Opa heiß und innig. Den anderen Opa, Charlottes Vater, hatten die Kinder nie kennengelernt, er war mit Mitte Fünfzig an einem Hirntumor gestorben.

Regine ist so ganz anders als meine Mutter, ging Charlotte durch den Kopf, als ihre Schwiegermutter in die Runde strahlte und sagte: „Schön, dass ihr da seid, greift zu, ihr könnt es alle brauchen, dünn wie ihr seid." Sie schob die Schüssel zu Emily, lächelte, als diese die Schüssel direkt an ihre Mutter weiter gab. Von ihrem Schokoladenpudding mit Vanillesoße würde wie immer nichts übrigbleiben.

Charlotte grübelte, wie und wann sie 'das Thema' anschneiden sollte. Das würde ihr überlassen bleiben, Thomas würde es nicht tun.

„Na Anton, freust du dich denn auch schon auf die Schule?" Regine griff über den Tisch und tätschelte Antons Hand. Anstatt zu antworten, stieß der einen tiefen Seufzer aus. Charlotte und Thomas wechselten einen Blick. Ihr Sohn, der sich lange Zeit sehr auf seine bevorstehende Einschulung gefreut hatte, war merklich stiller geworden, wenn es um das Thema Schule ging. Wenn er darauf angesprochen wurde, reagierte er kurz angebunden. So richtig erklären konnten sie sich das nicht.

Opa Richard, der seinem Enkel gerade ein Würstchen auf den Teller legte, sagte: „Dir geht es bestimmt wie mir seinerzeit – du hast Angst, dass du nicht mehr genug Zeit zum Spielen hast, vor allem zum Fußballspielen, stimmt's?" Anton schaute hoch, und als sein Opa ihm zuzwinkerte, sagte er: „Ja, das stimmt, Opa."

Als alle fertig gegessen hatten, Anton im Garten schaukelte und Emily in der zwischen zwei Bäumen aufgespannten Hängematte lag, rutschte Charlotte auf ihrem Stuhl hin und her, dann platzte sie raus: „Wir haben ein tolles Anwesen in Frankreich gefunden, wir könnten uns vorstellen, dort zu leben." Ruckartig gingen die Köpfe hoch. „Gefunden, wieso gefunden? Seit wann sucht ihr?" Das war Regine. „Was wollt ihr denn da?" Moritz heftete seinen Blick auf Thomas. Richard fragte mit belegter Stimme: „Wie, für immer?"

Thomas hob beschwichtigend die Hand. „Also gesucht haben wir nicht, es ist uns eher entgegengefallen, als wir eine Panne hatten. Dass Lotte und ich einen Faible für alte Häuser haben und gerne renovieren, das ist ja kein Geheimnis. Ferienwohnungen herzurichten und zu vermieten würde uns beiden großen Spaß machen."

Richard nickte. „Schon als kleiner Junge hast du mir geholfen, wenn ich etwas gebaut habe. Weißt du noch, Regine, wie er mir beim Garagenbau ..." „Aber wieso in Frankreich?", sagte seine Frau, und aus dem Tonfall sprach ihr ganzes Unverständnis.

Das war Charlottes Stichwort. Sie sprudelte los und schwärmte, über diese wunderbare Sprache und die einmalig schöne, wenig besiedelte Landschaft im Périgord mit den dichten Wäldern, den märchenhaften Schlössern und der ungezähmten Dordogne, und" – das sagte sie ganz langsam und genießerisch – „am besten ist das *savoir-vivre*, diese ganz besondere Lebensart der Franzosen."

„Aha", sagte Regine verdutzt und wischte sich mit ihrer Serviette über den Mund. „Und wie konkret ist das?", fragte Richard, der inzwischen mit völlig durchgedrücktem Rücken am Tisch saß. Thomas erzählte von den Zwillingsbrüdern, ihrer Wohnsituation und ihrem Verkaufswunsch.

„Da ist aber noch sehr viel unklar", sagte sein Vater. „Stimmt." Thomas nickte. Etwas von der angespannten Stimmung verflüchtigte sich.

Nach kurzem Schweigen beugte Charlotte sich vor und sagte mit Nachdruck: „Aber sie wollen verkaufen. Und der Neffe braucht Geld." Thomas warf ihr einen verwunderten Blick zu, davon war nicht die Rede gewesen. Charlotte griff nach einem Radieschen und biss herzhaft hinein. Dann setzte sie an, weiterzusprechen, aber Thomas' Miene zeigte allzu deutlich, dass sie das Thema für heute lieber ruhen lassen sollte.

„Unsere Familien in Deutschland zurücklassen, die Kinder verschleppen, gewachsene Freundschaften aufgeben – wollen wir das wirklich?", sagte

Thomas, als sie Sonntagabend begannen, die Küche aufzuräumen.

„Ich kann mir kaum vorstellen, dass meiner Mutter meine Nähe so wichtig ist", entgegnete Charlotte. „Und meine Meinung zu den Chancen für die Kinder kennst du. Was Freunde anbelangt – es gibt WhatsApp und FaceTime." „Das ist doch nicht das Gleiche, Lotte." Thomas schüttelte den Kopf.

„Freunde können uns besuchen. Du hast Brüder, die sich um Moritz und um Richard und Regine kümmern können." Charlotte verstaute die Schüssel im Geschirrspüler und drückte die Tür zu. „Begeistert waren deine Eltern allerdings wirklich nicht. Ich hatte erwartet, sie würden unsere Idee toll finden."

„Sie müssen sich an den Gedanken gewöhnen, man muss ihnen Zeit geben, sie haben sich doch gut geschlagen." Als Thomas Charlottes zweifelnden Blick sah, zuckte er mit den Schultern. „Komisch, dass Anton sich gar nicht mehr auf die Schule freut." „Aha, Themenwechsel", sagte Charlotte bissig und schluckte weitere Kommentare herunter. „Dein Vater hat doch eine gute Begründung gegeben."

„Das ist nur ein Teil der Wahrheit, da muss noch etwas anderes sein." „Ach was, du siehst Gespenster." Sie schüttelte den Kopf. „Wenn die Brüder sich bis Ende nächster Woche nicht gemeldet haben, rufe ich an." Laut klappernd stellte sie mehrere Schüsseln ineinander, schob sie in den Schrank und drückte die Tür zu. Dann setzte sie sich auf einen Stuhl, Thomas gegenüber, und heftete den Blick auf ihn. Der hatte zwischenzeitlich nach seinem Handy gegriffen, es angeschaltet und sich darüber gebeugt.

Charlotte vibrierte. „Thomas?" Sie wartete noch einen Moment, dann stand sie abrupt auf. Mit einem „ich gehe ins Bett" warf sie die Tür hinter sich zu. Thomas löste den Blick nicht vom Handy.

7

Charlottes Nachmittage waren ausgefüllt mit Fahr-
diensten für die Kinder, Arztbesuchen, Telefonaten
mit der Krankenkasse (unerfreulich) und einem
TÜV-Termin (erfreulich). In der Physio-Praxis stand
das Telefon nicht still, alle Kollegen arbeiteten bis
zum Anschlag. Thomas verließ frühmorgens das
Haus und kam abends spät nach Hause, oft lag Anton
schon im Bett. Emily bestand stets darauf, auf ihren
Vater zu warten, weil sie ihn bei ihren Vorlese-
Übungen unbedingt als Zuhörer dabei haben wollte.
Die nächste Runde des Vorlese-Wettbewerbs, inzwischen auf Landesebene, stand an. Zu Beginn hatte
Anton immer andächtig gelauscht, wenn seine
Schwester vorgelesen hatte – er liebte diese gemütlichen Momente zu viert. Aber neuerdings trollte er
sich ohne Widerrede ins Bett. Sprach man ihn auf
den bevorstehenden Schulanfang an, lenkte er stets
blitzschnell ab. „Och, ist ja noch so lange hin. Wir
haben heute in der Kita ..." Für einen Austausch
über das Thema fehlten Thomas und Charlotte Zeit
und Ruhe. Wie aufgezogene Spielzeugautos sausten
sie aneinander vorbei, bei ihren kurzen Begegnungen
schafften sie es bestenfalls, sich über die notwendigen Dinge des Alltags abzustimmen. Antons nahen-
de Einschulung blieb auf der Strecke. Thomas bekümmerte das, Charlotte verdrängte es. Sie ließ lieber Raum im Kopf für Träumereien von wunderschön renovierten Ferienwohnungen mit glücklichen
Gästen in perfektem französischen Ambiente. Dabei
spielte der Hof der Brüder eine große Rolle, und sie

musste sich eingestehen, dass ihre Auswanderungs-
wünsche inzwischen sehr eng an dieses konkrete
Objekt gekoppelt waren.

Inzwischen hatte sie die Erklärung für Eduards
reservierte Haltung bei ihrem zweiten Besuch erhalten. Im Konversationskurs hatten sie über die Mahl-
zeiten der Franzosen gesprochen. Die Erkenntnis,
dass den Franzosen alles rund ums Essen wichtig
war, war nicht neu für sie, aber sie sah es nun in einem völlig anderem Licht. Abends zerrte sie den
erschöpften Thomas ins Wohnzimmer und stellte
sich triumphierend vor ihm auf. „Um zwölf Uhr
mittags lässt das ganze Land den Griffel fallen. Stell
dir vor, zwischen zwölf und vierzehn Uhr kann man
in vielen Städten kostenlos parken. *C'est midi*, Mittagszeit. Dann können Franzosen nur noch an Essen
denken. Kein Wunder, dass Eduard plötzlich so
reserviert war."

„Wenn du meinst." Mehr Reaktion zeigte Thomas
nicht, er rieb sich die Augen und murmelte: „Ich
kann auch nur an Essen denken, und zwar hier und
jetzt." Damit verschwand er in der Küche. Charlotte
fragte sich wieder einmal, wie ernst es ihm mit dem
Thema Auswandern war. Sie müssten dringend miteinander reden, aber wann? Ihr Alltag erinnerte sie
an ein Vogeljunges, das permanent den Schnabel
aufsperrte und lauthals nach Fütterung verlangte.

Der Besuch bei Charlottes Mutter Hannelore
stand an, sie würden sie ebenfalls über die Frank-
reich-Pläne informieren. Kein Anlass zur Freude.
Auch ohne ein solches Thema. Im Beisein ihrer

Mutter fühlte Charlotte sich stets wie auf dem Prüfstand – ein Tochter-TÜV, den sie jedes Mal zu bestehen hatte. Und genau genommen gab es immer eine Mängelliste.

Wie wohl ich mich dagegen bei meinen Schwiegereltern fühle, dachte Charlotte, als sie die Treppen zur Wohnung in Wiesbaden emporstiegen. Und wie anders dann tatsächlich das Gespräch mit ihrer Mutter ablief. „Wie wollt ihr das bezahlen?", war im Grunde die einzige Frage, die Hannelore Hofmann zu dem Thema stellte. Sie war eine hochgewachsene schlanke Frau, die sich stets kerzengerade hielt. Sie ließ kaum eine Gelegenheit aus, Charlotte darauf hinzuweisen, sie solle den Rücken durchdrücken. „Die einzige Person in dieser Familie, die sich anständig hält, ist Thomas", hatte sie kürzlich gesagt. Alles an Hannelore Hofmann war hell und aufgeräumt. In ihrem cremefarbenen Pullover zur weißen Hose und mit den langen schneeweißen Haaren, die sie stets kunstvoll aufgesteckt trug, schien sie mit dem Ambiente der gepflegten Altbauwohnung zu verschmelzen. Die beiden durch eine gläserne Schiebetür getrennten Wohnräume waren überwiegend weiß möbliert. Einzig der Esstisch mit den sechs Biedermeierstühlen aus Kirschholz hob sich davon ab. Auf einer blütenweißen Tischdecke thronte in der Mitte eine große (selbstverständlich weiße) Porzellanplatte mit Goldrand, auf der die unterschiedlichsten Kuchenstückchen drapiert waren. Hannelore hob sie vorsichtig mit dem silbernen Tortenheber auf die Teller. Ein selbstgebackener Kuchen wäre auch nett gewesen, dachte Charlotte, aber den hatte sie noch nie bei ihrer Mutter bekommen. Sie hängte einen Teebeutel in den einzigen größeren Becher, den es in diesem Haushalt gab. Thomas lobte den Kaffee, der in der Tat zusammen mit einem Hauch von Bohnerwachs ein wenig gemütliche Atmosphäre verbreitete. Kaum war die Platte leer geputzt, verschwand Emily im Schlafzimmer, Omas Ankleidetisch mit den vielen Schubladen und dem dreiteiligen Spiegel lockte. Anton setzte sich an das Puzzle, das auf dem Küchentisch auf ihn wartete.

Nachdem sie die Frage nach der Finanzierung des Projekts gestellt, vielmehr rausgeschossen hatte, stellte Hannelore nach einem Blick in die Gesichter von Tochter und Schwiegersohn fest: „Ihr wollt euer Haus, Omas Häuschen, verkaufen." Charlotte zuckte mit den Achseln. „Anders geht es nicht."

Hannelore drehte an ihrem Goldring mit dem Saphir und sagte: „Na ja, ich habe sowieso nie verstanden, wieso meine Eltern ausgerechnet in diesem Hafenviertel ein Haus kaufen mussten."

Charlotte lachte. „Du tust so, als ob Schierstein ein verruchter Großstadthafen wäre – es ist ein wunderbarer Stadtteil, und wir lieben beide den Rhein."

„Du kennst meine Ansicht, ein Haus in Halbhöhenlage von Wiesbaden oder eine große Altbauetage im Herzen der Stadt, das stelle ich mir für euch vor." Hannelore schüttelte den Kopf. „Wahrscheinlich landet ihr dann in so einem feuchten Gemäuer, meilenweit von der nächsten Stadt entfernt, keine Zivilisation, keine Kultur in Sicht." Charlotte ersparte es sich, ihre Mutter auf die aktuellen Immobilienpreise in Wiesbaden hinzuweisen. „Von genau so einem Häuschen auf dem Land träume ich. Das darf ruhig unperfekt sein. Mit Gerümpel im Schuppen, Unkraut im Vorgarten, Hühnern im Hinterhof – und Fensterläden, die schief in den Angeln hängen", setzte sie bissig nach. Obwohl ihr natürlich klar war, ihre Ferienwohnung würde perfekt sein.

„Aus dir ist keine Charlotte geworden." Ihre Mutter schüttelte den Kopf. „Sondern eine Lotte." Die zwei 't' in Lotte knallten. „Zum Glück habt ihr das Kind doch Emily genannt und nicht Emma. Nicht auszudenken, Emma, ein Name für ein Dienstmädchen." Sie stand auf und begann den Tisch abzuräumen.

Diese Leier wieder – Charlotte beschloss, das Thema für heute gut sein zu lassen. Man musste stufenweise vorgehen. Der überwiegend unerfreuliche Nachmittag hatte aber bewirkt, dass sie ihre Pläne umso verbissener verfolgen würde.

Mit klopfendem Herzen nahm Charlotte am übernächsten Abend den Zettel mit der Telefonnummer der Brüder in die Hand, mit zitternden Fingern wählte sie die Nummer. „*Allô*", meldete sich eine Stimme. „Eduard?", fragte sie, inständig hoffend, dass er am Ende der Leitung sein möge, nicht sein Bruder. „*Oui, oui. Charlott?*"

Ja, natürlich würden sie verkaufen, darüber waren sie sich einig. Und sie würden auch gerne an sie verkaufen, so ein nettes Paar, so nette Kinder. Und bestimmt würden sie etwas Schönes aus den Häuschen machen und sich wohlfühlen auf dem Gelände, da sei man sich sicher. „*On vendrait bien, Charlott.*"

On vendrait? „*On vendrait?* Sie 'würden' verkaufen?“, fragte sie vorsichtig. Eduard holte Luft. Es gäbe ein großes Aber, *malheureusemen*t, leider leider. Der Neffe, Henri, ihm gehöre ein Drittel, er müsse dem Verkauf zustimmen. „Aber wo ist das Problem?“, rief sie in den Hörer. „Er lebt doch in Kanada, er kann bestimmt Geld brauchen.“

„*Ben oui*“ – Charlotte sah Eduard förmlich vor sich, wie er mit den Schultern zuckte – „er kann sich nicht entscheiden, leider.“

„Aber wieso denn nicht?“ Ihre Stimme drohte sich zu überschlagen.

„Er hat sich verliebt und überlegt, ob er nicht nach Frankreich zurückkommt. Er will das Häuschen fertig renovieren“, tönte es aus dem Hörer. Es klang sehr bedrückt.

Von den folgenden Sätzen Eduards verstand Charlotte kaum noch etwas, er versprach, sich sofort zu melden, sobald es etwas Neues gäbe – das zumindest kam bei ihr an. Als sich kurz darauf Thomas' Schlüssel im Schloss drehte, stürzte sie auf ihn zu und ein Wortschwall ergoss sich über ihn. „Sie mögen uns, sie würden gerne an uns verkaufen. Ach, es hörte sich erst so gut an, aber dann sagte er *on vendrait* statt *on vendra*, sie 'würden' verkaufen, nicht sie 'werden' verkaufen.“

„Ich kann Französisch“, sagte Thomas gereizt. „Jetzt mal langsam, Lotte.“ Er stellte die Kiste mit dem Einkauf auf den Küchentisch und begann den Kühlschrank einzuräumen. „Für wen will der Neffe das Häuschen renovieren, für die Brüder, für sich und seine Freundin, zum Verkaufen?“

„Das habe ich nicht richtig verstanden", gab Charlotte zu. Thomas schüttelte den Kopf. „Das ist auch letztlich egal. Mehrere Besitzer, das ist immer schwierig, schlag es dir aus dem Kopf, Lotte. Ich finde es auch schade. Aber es ist sowieso viel zu weit draußen. Und den Verkaufspreis kennen wir auch noch nicht. Wir finden etwas anderes." Charlotte starrte wütend auf den Zettel in ihrer Hand. „So lange ich keine endgültige Absage erhalten habe, glaube ich an dieses Projekt."

„In den Sommerferien schauen wir uns um, bis dahin gibt es bestimmt auch vom Makler interessantere Angebote", sagte Thomas, klappte die Einkaufskiste zusammen und ließ sich auf den nächstbesten Stuhl sinken.

Dass er sich immer so schnell abfinden musste! „Noch ist alles offen", sagte Charlotte, mehr zu sich selbst als zu Thomas.

8

Thomas hatte natürlich für Emilys Vorlesewettbe-
werb Urlaub beantragt. Zwei Tage vor dem großen
Tag kam er mit der Nachricht nach Hause, dass seine Präsentation, in der es um einen wichtigen Auftrag ging, verlegt worden war, just auf den Tag des
Wettbewerbs. Emily war untröstlich und bettelte bei
ihrer Mutter, dann wenigstens Oma mitzunehmen,
damit sie nicht so ganz allein dastehen würde.

„Ganz allein? Anton und ich sind dabei und deine
beste Freundin."

„Oma muss mit." Emily stampfte mit dem Fuß
auf. „Dann kann sie mir eine Flechtfrisur machen,
das kriegst du ja nicht hin."

Charlotte gab sich geschlagen. In der Tat war sie
stolz, als sie ihre Große vorne auf der Bühne sah.
Der hoch am Kopf angesetzte Zopf, in den Oma
Hannelore geschickt immer wieder neue Haarsträh-
nen seitlich mit eingeflochten hatte, betonte Emilys
gleichmäßige Züge und ihr schönes Profil. Das ist
ein französischer Zopf, hatte ihre Mutter sie belehrt.
„Solltest du kennen – und können."

Zitterte Emilys Stimme zu Beginn ein klein wenig,
so hatte sie sich doch schnell im Griff, variierte ihre
Stimmlage, baute Pausen ein, betonte gut, aber nicht
aufgesetzt, sondern dem Text angemessen.

„Sie war großartig, oder?" Antons Gesicht glühte
geradezu, als seine Schwester die Bühne verließ, um
dem nächsten Kind Platz zu machen. „Ja, das war
sie." Charlotte drückte seine verschwitzte Hand.
Hannelore raunte ihm zu: „Wenn du tüchtig übst,

kannst du das später auch." Die Zweifel standen Anton ins Gesicht geschrieben.

Die jungen Vorleserinnen und Vorleser machten ihre Sache allesamt gut, es kristallisierten sich vier Favoriten heraus, und Emily gehörte zweifellos dazu, da war ihre Familie sich einig. Eine nervöse Spannung füllte den ganzen Raum, als sich die Jury beriet, und machte die ohnehin abgestandene Luft noch dicker. Hannelore stöhnte mehrmals vernehmlich.

Emilys Enttäuschung war grenzenlos, als sie nicht zu den besten Dreien gehörte. Alle Beteuerungsversuche von Mutter, Oma, Freundin und Bruder, sie hätte absolut super gelesen, halfen nicht. Vor Ort bewahrte sie ihre Fassung, aber auf der Rückfahrt im Auto vergoss sie Tränen. Auf Antons Angebot hin, sie dürfe seinen Lieblingspanda für eine Woche haben, schnaufte sie nur verächtlich. Charlotte versuchte sie mit der Aussicht auf einen Mutter-Tochter-Samstag zu trösten, an dem sie das Programm bestimmen dürfte, auch das wurde mit einem 'Pfff' beantwortet. Erst als Oma Hannelore ihr einen ausgedehnten Einkaufsbummel in Aussicht stellte, „mit einem großzügigen Budget natürlich, mein Schatz", versiegten die Tränen.

„Du wirst sehen, wir finden wunderschöne Sachen für dich, so richtig schick, und hochwertig, nicht so wie dieses Jäckchen." Hannelore drehte sich zu ihrer Enkelin um und fasste missbilligend nach dem Ärmel der Strickjacke, in der Charlotte ihre Tochter besonders gern sah. „Und dann gehen wir ins Café und lassen es uns so richtig gut gehen, wie zwei feine Damen. Dann gebe ich mit meiner wunder-

64

schönen Enkelin an." Sie zwinkerte Emily zu und holte aus ihrer Handtasche ein Stofftaschentuch, blütenweiß, gebügelt und gestärkt, mit ihren Initialen versehen, befeuchtete es an einer Ecke mit ihrer Zunge und reichte es nach hinten. Damit hätte ich mir ein wütendes 'Mama' eingehandelt, dachte Charlotte.

Thomas saß in der Küche, vor einem Teller dampfender Nudeln, als sie abends eintrudelten. Charlotte war erschöpft, sie hoffte auf einen ruhigen Abend mit ihrem Mann. Sie verspürte Redebedarf, über den ihrer Ansicht nach übergroßen Ehrgeiz ihrer Tochter, über ihre Mutter, über die anderen Eltern, über Anton, ach, über alles an diesem Nachmittag, so vieles hatte sie aufgewühlt.

Sie beugte sich herab und gab ihrem Mann einen Kuss. Wann hatte sie das das letzte Mal getan? „Wie war es, offensichtlich nicht so erfolgreich?" Er blickte sie fragend an. „Das soll Emily erzählen", sagte Charlotte und stellte Teller für alle auf den Tisch. Als sie nach der Servierzange für die Nudeln griff, sah sie, dass der Anrufbeantworter blinkte. Im Vorbeigehen drückte sie auf die Abhörtaste. „*Salut Charlott et Thomas.*" Wie eingefroren blieb Charlotte auf dem Weg zum Küchentisch stehen. „*C'est bon.* Wir verkaufen."

Es schepperte, als die Nudelzange auf den Boden fiel. Emily schaute ihre Mutter abwartend an, dann bückte sie sich unter Kopfschütteln nach dem Teil, häufte sich die Pasta auf den Teller und warf die Zange auf den Tisch. „Hallo, und was ist mit mir ?", sagte Anton und klopfte mit der Hand auf den Tisch.

„Du bist alt genug, um dir selbst zu nehmen", konterte seine Schwester.

Charlotte atmete auf, die Kinder hatten dem Anruf zum Glück keine Beachtung geschenkt. Mit einem kurzen Blick zu Thomas vergewisserte sie sich, dass bei ihm die Botschaft angekommen war. Als die Kinder die Küche verlassen hatten, hörte sie den AB noch zigmal ab – es blieb bei *on vend*, wir verkaufen – nicht *on vendrait*, wir 'würden' verkaufen!

„Wir müssen da hin. Wie gut, dass nächste Woche Pfingsten ist." Charlotte pendelte unablässig zwischen Esstisch und Sofa. Ihre am Morgen mit etwas mehr Sorgfalt als sonst aufgesteckten Haare hatten sich gelöst. Sie zwirbelte sie achtlos zusammen.

„Jetzt mal langsam." Thomas lehnte sich im Sessel zurück und schob die Arme unter die Oberschenkel. „Du willst nicht ernsthaft über Pfingsten die weite Tour machen." „Natürlich will ich das." Charlotte strich sich ungeduldig eine Haarsträhne hinters Ohr. Wir müssen doch jetzt Nägel mit Köpfen machen. Sonst ..." „Sonst?"

„Sonst geben sie den Hof womöglich jemand anderem, oder der Neffe ändert doch seine Meinung, oder ...." Sie wedelte ungeduldig mit den Armen.

Thomas spreizte drei dünne Finger in die Höhe. „Lotte, drei Tage. Pfingsten, das sind drei freie Tage, und davon wären wir zwei komplett auf der Autobahn. Das kann nicht dein Ernst sein." Die Finger blieben wie ein Mahnmal in der Luft.

„Um einen Vorverkaufsvertrag zu schließen, reichen uns zwei Stunden." Sie hielt ihm den gestreckten

Zeige- und Mittelfinger entgegen. (Und freute sich, als ihr auffiel, dass die zwei Finger zugleich das Victory-Zeichen bildeten). „Den Rest der Zeit können wir für Recherche und Behörden nutzen."

„Lotti! Drehst du jetzt völlig durch? Wir kennen noch nicht einmal den genauen Verkaufspreis. Wir wissen nicht, wo unsere Kinder zur Schule gehen könnten. Emily ist so ehrgeizig, sie hätte Probleme, wenn sie nicht mehr zu den Besten in der Klasse gehört. Anton kann überhaupt kein Französisch. Und du redest von einem Vorverkaufsvertrag und von Behörden, an Pfingsten." Er schlug sich mit dem Handballen vor die Stirn und schüttelte den Kopf. Dann lehnte er sich zurück und verschloss die Arme mit einem entschiedenen Ruck.

In Charlottes Kopf ratterte es, bloß jetzt nicht die Tür zufallen lassen. „Gut, wir müssen sicherlich auch ein bis zwei Tage Urlaub nehmen", räumte sie ein.

„Wir haben Kinder, zum Beispiel eine Tochter, die schulpflichtig ist."

„Die Kinder wollten doch sowieso über Pfingsten zu deinen Eltern; Emily könnte im übrigen auch bei meiner Mutter wohnen, die beiden sind ja neuerdings so dicke miteinander. Thomas", – sie stellte sich vor den Sessel, ging in die Hocke und umfasste seine knochigen Knie – „versteh doch, das ist doch die Chance, auf die wir gewartet haben, die müssen wir doch jetzt ergreifen."

„Du mit deinem doch, doch, doch", murmelte Thomas und griff nach seinem Ohrläppchen, drehte und wendete es. „Immer willst du mit dem Kopf durch die Wand."

„Dann steht bis zu den Sommerferien die Finanzierung, und wir können den Kindern ihr künftiges Zuhause zeigen."

„Es ist noch so vieles ungeklärt." Thomas schob ihre Hände weg. „Du stellst dir das alles viel zu einfach vor." Es blieb offen, ob er die Finanzierung, die Kinder oder sonstige Probleme meinte. Er ließ sein Ohrläppchen los und seufzte. „Lass uns das noch mal ganz in Ruhe durchdenken." Aufatmend ließ Charlotte sich in den Korbsessel fallen. Wenn dieser Satz kam, war die halbe Schlacht gewonnen.

„Wie war deine Präsentation? Entschuldige, ich habe noch gar nicht gefragt."

„Wir haben den Auftrag erhalten, aber mein Chef hat wieder so viele Zugeständnisse gemacht, dabei wäre das gar nicht nötig gewesen. Ärgerlich. Der Entwurf war gut. Punkt."

Charlotte schnalzte mitfühlend mit der Zunge. „Reuss bremst dich aus, immer wieder. Du hast Besseres verdient." Sie beugte sich vor und sah ihn eindringlich an. „Überleg doch mal – wenn du dein eigener Chef wärest." „Du willst sagen, wenn ich in Frankreich mein eigener Chef wäre." „Das hast du jetzt gesagt." Sie lächelte verschmitzt. „Ach Thomas, was wir beide aus diesem Hof machen könnten, wir wären so ein gutes Team, das glaubst du doch auch, oder?"

Thomas brummte zustimmend, dann hob er seufzend die rechte Hand in die Höhe. „Unter fünf Tagen lasse ich nicht mit mir reden." „Sollte zu machen sein." Charlotte sprang auf, spitzte die Lippen, gab ihm einen Luftkuss. Thomas fuhr sich mit beiden

Händen durch die Haare. „Und wenn wir so kurzfristig keinen Urlaub nehmen können?" Charlotte stand im Türrahmen und rief: „Ach das klappt schon, ich hole Wein."

Tatsächlich bekamen beide frei; Charlotte konnte mit einer Kollegin tauschen, Thomas würde nach seiner Rückkehr Sonderschichten einlegen. Er wirkte blass und abgespannt in diesen Tagen; Charlotte sah es mit schlechtem Gewissen, aber sie war sich sicher, dass die arbeitsfreie Zeit ihm gut tun würde. Einen Vorvertrag für ihr Traumprojekt zu unterschreiben würde außerdem einen Energieschub bedeuten.

Natürlich hatten sie sich sowohl mit den Immobilien-Preisen im Périgord als auch mit der Finanzierung bereits ausgiebig befasst. Für ihr Häuschen würden sie schnell einen Käufer finden, das stand fest. Wenn sie den exakten Kaufpreis des Hofes kannten, müssten sie natürlich genauer kalkulieren, um zu sehen, ob ihre finanziellen Mittel reichten. Als Thomas bei den Brüdern anrief, um ihre Ankunft anzukündigen, fragte er sie nach ihrer Preisvorstellung. Eduard druckste herum, nannte einen Betrag und stotterte, der Neffe habe diese Summe genannt, sie würden sich aber bestimmt einig. Es war ein Preis, mit dem sie gerechnet hatten, und wenn da noch ein bisschen Verhandlungsspielraum war, umso besser.

9

Mit einem mit hessischen Leckereien gefüllten Korb trudelten sie am Freitag vor Pfingsten bei den Brüdern ein. Etwas später als geplant; Charlotte hatte vorgeschlagen, vorher zum Campingplatz zu fahren und die Holländer, Piet und Mareike, nach den Schulen ihrer Kinder zu fragen. Die freuten sich über den Besuch und gaben bereitwillig Auskunft. Beide Kinder besuchten inzwischen ein Gymnasium in Sarlat. „Mit erstklassigem Ruf", sagte Piet. Eine Grundschule gab es in der Nähe des Gehöfts. „Natürlich nicht fußläufig, aber es ist eine gute Schule." Aber ob sie denn wüssten, wie streng das französische Schulsystem sei? Thomas und Charlotte hätten sich gerne noch viel länger mit den beiden unterhalten, aber Piet und Mareike mussten sich um ihre Gäste kümmern, und auch sie wurden schließlich erwartet. „Ihr könnt gerne jederzeit vorbeikommen, wenn ihr noch Fragen habt", hatten die beiden ihren deutschen Besuchern hinterhergerufen. Das Gespräch und die erhaltenen Informationen hatten Thomas und Charlotte derart beflügelt, dass sie geradezu beschwingt auf dem Hof eintrafen.

Obwohl die Temperaturen sich schon in Richtung Dreißiggrad-Marke bewegten, war die Luft noch klar und frisch. Auf dem Weg zum Hof waren sie an großen Flächen mit blühendem Mohn vorbeigefahren. Sie hatten das satte Rot der im leichten Wind wogenden Felder noch vor Augen und waren entzückt, auch auf dem Gehöft kleine Grüppchen der staksigen Schönheiten vorzufinden. Das Gelände war in ein Licht getaucht, dass die honigfarbenen Gemäuer noch wärmer erscheinen ließ. Dicht gestaffelte Hortensienbüsche in Rosa- und Violetttönen rahmten die beiden Häuschen zur Rechten und Linken ein. Vor der Scheune hatten sich die bei ihrem letzten Besuch noch kümmerlichen Geranien zurück ins Leben gekämpft und leuchteten in rot und weiß, ebenso wie riesige Oleander in schwarzen Baueimern und Mörtelkübeln. Aus mit Kräutern gefüllten Tontöpfen vor dem Wohnhäuschen der Brüder duftete es durchdringend nach Pfefferminze und Basilikum. Wie verzaubert blieben Thomas und Charlotte stehen und genossen die Atmosphäre.

Eduard kam ihnen entgegen und begrüßte sie mit *bises*, den französischen Küsschen rechts und links. Philippe saß am Tisch und reichte ihnen wortlos seine knochige Hand. Bildeten sie sich das nur ein, oder wirkte er abweisend? Charlottes Herz begann wie wild zu klopfen. Nachdem sie sich niedergelassen hatten, pries sie das Griebenschmalz an, den Spundekäs und die grüne Soße, die sie in großen Tupperwaredosen mitgebracht hatten. Thomas war dagegen gewesen, den auf ihre Küche und ihre Spezialitäten stolzen Franzosen kulinarische Geschenke mitzubringen, aber Charlotte hatte sich nicht davon abbringen lassen. Philippe nickte knapp und sagte, er werde später davon kosten. Er saß sehr aufrecht auf dem Gartenstuhl, gestützt auf seinen Stock, seine Augen schienen Thomas und Charlotte zu durchbohren. Die beiden fühlten sich unbehaglich und sahen schweigend zu, wie Eduard Kaffee und Mineralwasser auf den Tisch stellte und umständlich die

Tassen und Gläser verteilte. Als er nach der Tüte mit den Bethmännchen griff, entspannte Charlotte sich etwas. Eduard betrachtete die mit Eigelb glasierten und zart-braun gebackenen kleinen Kugeln eingehend, bevor er sich mit geschlossenen Augen eine in den Mund schob. „Eine Frankfurter Marzipanspezialität", sagte Charlotte. „Und hier sind Wiesbadener Ananastörtchen, auch sehr lecker."

Eduard gab anerkennende Grunzlaute von sich, dann begann er von französischen Leckereien zu schwärmen. (Thomas warf Charlotte einen Blick zu, siehst du, hab ich's nicht gesagt?) Er empfahl ihnen eine ganz besondere *Pâtisserie* in Sarlat. „*Putain*, verdammt, die *Mille Feuilles* dort sind so gut." Er leckte sich die Lippen und begann, unter lebhaftem Wedeln mit den Händen, den Weg zur Feinbäckerei zu beschreiben, in allen Einzelheiten.

„*Bon, mettons cartes sur table*, reden wir Tacheles", sagte Philippe, stieß seinen Stock energisch in den Boden und bedachte seinen Bruder mit einem nicht gerade freundlichen Blick. Thomas und Charlotte zuckten zusammen. Ups, was kam jetzt? Charlottes Magen verkrampfte sich. Thomas schob seine Hände unter die Oberschenkel und warf seiner Frau einen schnellen Blick zu. Sollte er doch Recht behalten mit seinen Befürchtungen – dass viele Franzosen immer noch Vorbehalte gegenüber Deutschen hatten? Dass die am Telefon genannte Summe zwischenzeitlich deutlich erhöht worden war? Dass es womöglich jetzt französische Interessenten für den Hof gab? Charlotte hatte seine Zweifel beiseite gewischt. Ihr Gefühl war von Anfang an gut gewesen.

Aber nun fragte sie sich auch bang, ob der Kaufpreis vielleicht alle ihre Träume zunichte machte. Oder die Brüder es sich anders überlegt hatten.

So trauten sie ihren Ohren kaum, als Philippe sagte, der vom Neffen genannte Betrag sei etwas zu hoch. „Er hat keine Ahnung, sitzt in Kanada und wirft einfach mal mit einer Summe um sich." Er schnaufte verächtlich. „Bei uns gibt es nur faire Preise." Er schaute zu seinem Bruder, der nickte, wischte sich Krümel vom Mund und sagte: *„et vous êtes sympa*, Sie sind sympathisch."

Thomas und Charlotte waren sprachlos. Sie tauschten einen Blick, der den Brüdern nicht entging. Philippe lächelte und Eduard sagte: „Bei Ihnen wissen wir das alles hier in den besten Händen. Das", er legte feierlich die Hand auf sein Herz, „stimmt bei ihnen." Völlig verwirrt überlegte Charlotte, ob sie ein noch niedrigeres Angebot machen sollten – wurde das erwartet, sollten sie die Gelegenheit nutzen? –, doch Thomas stimmte dem genannten Betrag sofort zu. Als sie später alleine über den Hof streiften, sagte er, er wolle auf keinen Fall die Brüder, ihre zukünftigen Nachbarn, über den Tisch ziehen. Das Gehöft sei jeden Euro wert. Charlotte nickte. Thomas konnte das sicher besser beurteilen als sie und natürlich hatte er Recht, Fairness war das Gebot der Stunde. Und was wirklich zählte – sie hatten ihr *promesse de vente*, das Verkaufsversprechen der Brüder. Sie hatte das Stück Papier in die Brusttasche ihrer Latzhose gesteckt und immer wieder tastete sie danach – als ob es sich durch den bis zum letzten Zähnchen geschlossenen Reißverschluss davonmachen könnte. Jeden Meter des Grundstücks schritten sie ab und Thomas machte Fotos, während Charlotte immer wieder stehenblieb und die Arme ausbreitete. „Ist es nicht wunderbar, diese Aussicht, ist es nicht ein Traum? Schau doch nur, diese sanft geschwungenen Hügel, wie sie zum Horizont hin immer blasser werden, kaum noch als grün zu erkennen."

In dem größeren, dem unbewohnten Häuschen, roch es feucht und muffig. Charlottes Begeisterung konnte das nicht bremsen. „Hier kommt eine Wand raus, den offenen Kamin lassen wir und ummauern ihn, die Holzfußböden schleifen wir ab, die Türen sind noch ganz in Ordnung, die streiche ich, die Sprossenfenster sollten wir retten – und schau nur," sie kauerte sich auf den Fußboden im Bad, „diese Fliesen sind ein Traum." Thomas warf einen kurzen Blick auf das florale Muster, das Erdtöne mit Blau und Weiß kombinierte, und sagte: „Jetzt mal langsam. Erst haben die Profis das Wort: Statiker, Elektriker, Architekten."

Als sie zu den Brüdern zurückkehrten, überboten die sich gegenseitig mit Empfehlungen für Handwerker; besonders einen Architekten, der seit Kurzem nicht mehr berufstätig war, aber einen guten Blick hätte, legten sie ihnen ans Herz. Charlotte und Thomas schauten sich an. Ob man den mal anrufen könnte?

„*Ben non*, das machen wir persönlich", sagte Eduard und erhob sich. „*Maintenant?* Jetzt?", sagte Thomas verblüfft. „*Mais oui, bien sûr*, aber ja doch." Eduard griff nach seiner Mütze und schaute sie auffordernd an. „*On y va*, los geht's."

Charlotte und Thomas nahmen auf dem Rücksitz der alten Ente Platz. Eduard ruckelte sich auf dem Sitz zurecht (er hopste einige Male hin und her, bis er die richtige Sitzposition gefunden hatte), ließ den Motor an und griff beherzt nach der Krückstock-Schaltung, als gelte es im Fitnessstudio Gewichte zu ziehen. Das hochbeinige Gefährt hoppelte über Wurzeln und schaukelte und rumpelte auf schmalen Wegen, erst durch das nahe Dorf, dann in Richtung eines kleines Wäldchens. Vor einem zweistöckigen, mandarinfarben verputzten Haus brachte Eduard den Wagen zum Stehen und zog mit einem Ruck die Handbremse an.

Dunkelblaue Fensterläden schmückten die zahlreichen Sprossenfenster des Gebäudes, je fünf im Erdgeschoss und in der Etage darüber. Üppig blühende weiße Rosen rankten sich an der Hauswand empor, eine Glyzinie klammerte sich an ein Fallrohr. Große Terrakotta-Kübel mit Buchs, Oleander und Agaven säumten den Kiesweg. In der geöffneten Doppelgarage parkten ein kleiner roter Peugeot und ein dunkler Oldtimer. Thomas' und Charlotte erkannten einen Citroën Traction Avant, den legendären Gangsterwagen. Sie waren noch nicht ganz aus der Ente geklettert, da öffnete sich die dunkelblaue Haustür, heraus trat ein tiefgebräunter, grauhaariger älterer Mann in heller Sommerhose und dunklem Hemd. Er blieb auf dem Treppenabsatz stehen und rief: „Ah, Eduard, *mon ami*."

„So geht das hier", sagte Eduard, „Klingeln, pah, brauchen wir nicht." Er machte eine abschätzige Handbewegung. „Wenn man ein Auto hört, kommt

man an die Tür. Und dieses kennt jeder." Er tätschelte liebevoll den Kotflügel des *deux chevaux.*

Der alte Architekt – „ich bin Gabriel und seine
Freunde sind auch meine Freunde" – erwies sich als
energiegeladener und mit profundem Fachwissen
ausgestatteter Vertreter seiner Zunft. Als Eduard
ihm den Grund für den spontanen Besuch genannt
hatte, krempelte er die Ärmel seines maßgeschnei-
derten dunkelblauen Hemds hoch, rieb sich die
Hände und sagte: „*Au travail,* an die Arbeit." Von
den Plänen des jungen Paares war er sichtlich angetan und versprach, ihnen später beim Genehmi-
gungsantrag für den Um- und Anbau zu helfen.
„Ach und ich werde Sie für eine erste Prüfung zum
Katasteramt begleiten, gleich am Dienstag, damit Sie
Bescheid wissen, ob ein Verkauf überhaupt möglich
ist." Offensichtlich gefiel ihm die Aussicht auf junge
Menschen in der näheren Umgebung, er fuhr sich
immer wieder durchs noch dichte Haar und verströmte Aufbruchstimmung.

Als sie sich verabschiedeten, fühlten sich Thomas
und Charlotte wie unter einer Glücksglocke. Und ein
Weilchen sollte das auch noch anhalten.

Am Dienstagmorgen trafen sie sich um zehn Uhr
mit Gabriel vor dem Bürgermeisteramt in Salignac,
einem hohen, schmalen, aus grauen Steinen gemauerten Gebäude mit einer seitlich angesetzten Treppe;
nur die Fenster, die von abwechselnd weißen und
dunkelroten Steinen eingefasst waren, verliehen dem
abweisend wirkenden Kasten einen gewissen Reiz.
Das in Schreibschrift gehaltene Wort *Mairie* an der

Fassade und natürlich die obligatorische Beflaggung ließen die Bestimmung des Gebäudes erkennen.

Der Bürgermeister war ein untersetzter Mann mittleren Alters mit schütterem Haar und riesengroßen Händen. Er kämpfte einen schier aussichtlosen Kampf mit seiner randlosen Brille, die immer wieder Richtung Nasenspitze rutschte und die er ebenso beharrlich wie fahrig zurückschob. Das Büro präsentierte sich in heillosem Chaos. Auf dem Schreibtisch stapelten sich Aktenmappen und Ordner, teilweise in bedenklicher Schieflage, überall dazwischen lagen lose Blätter. Es roch intensiv nach Kaffee und Knoblauch. Auf einem halbhohen Rollschrank stand ein weißer Becher mit einem Rest brauner Flüssigkeit darin. Charlotte und Thomas tauschten einen Blick, den Gabriel auffing, er lächelte ihnen beruhigend zu.

Und tatsächlich war der Amtsträger freundlich und zugewandt, wortreich versicherte er ihnen, dass die Baugenehmigung für das Grundstück kein Problem sei. Er deutete auf den landwirtschaftlichen Katasterplan und betonte, dass es auf dem Boden um das Haus herum keine Mastrechte gab. „Sehr wichtig", sagte Gabriel, und hob seinen Zeigefinger, „merke, Baugenehmigungen werden nur auf Gebieten ohne Mastrechte erteilt. Alles gut." Die beiden atmeten erleichtert auf, trauten sich aber nicht, sich in Anwesenheit der beiden Männer abzuklatschen. Das holten sie nach, als sie wieder auf der Straße standen. Gabriel stand lächelnd daneben. Charlotte legte ihm spontan einen Arm um die Schulter, drückte ihn kurz und sagte: *Merci, merci, merci.*"„Ich habe doch gar nichts gemacht", protestierte der, ließ sich aber nicht lange bitten, als die beiden ihn zum Essen einluden. Da es noch keine zwölf Uhr war, fanden sie problemlos Plätze im *Café de la Place*. Sie setzten sich an einen Tisch direkt an der Hauswand, unter dem Glasdach. „Hier haben wir alles im Blick", sagte Gabriel zufrieden, „es wird gleich sehr voll." Charlotte und Thomas schmunzelten. „Euch Franzosen ist die Mittagszeit heilig, das wissen wir."

„Nicht nur die Mittagszeit, das Essen." Gabriel nickte und angelte ein Stück Brot aus dem Körbchen, das der Kellner fast unbemerkt im Vorbeigehen auf den Tisch gestellt hatte. „Beschäftigte erhalten von ihrem Arbeitgeber für das *Menu du Jour* ein Ticket de Restaurant, ein Ticket über 12 Francs, äh, Euro", er schlug sich mit der flachen Hand vor die Stirn, „so wichtig ist Essen in diesem Land." Das hatten seine deutschen Begleiter tatsächlich nicht gewusst, anscheinend gab es bei diesem Thema immer noch Neues zu lernen.

Gabriel legte ihnen die Tacos wärmstens ans Herz, eine besondere Spezialität des Hauses. Er bestellte sich einen *Taco l'Orient* mit *Sauce Samouraï*. Mit Daumen und Zeigefinger bildete er einen Kreis und leckte sich über die Lippen. Charlotte zögerte kurz, dann wählte sie einen *Taco Chicken* mit einer Currysoße, Thomas bestellte ein *Omelette* mit *Champignons de Paris* und dazu einen kleinen Salat.

Der Architekt erzählte eine Anekdote nach der anderen, und als man beim Dessert angekommen war, hatten Charlotte und Thomas das Gefühl, die halbe Dorfgemeinschaft zu kennen. Thomas studierte die Speisekarte und blickte irritiert auf. „Ich möchte einen Kaffee mit Milch, was sage ich da am besten?"

„Wir fragen den *garçon*." Gabriel winkte den Kellner heran. Der stellte sich in Position und ratterte los: „*Café noisette, café allongé, grand café, café crème, café au lait.*" Jedem dieser Namen folgte eine kurze Erklärung, doch als der *garçon* zum Ende gekommen war und ihn erwartungsvoll anblickte, schaute Thomas hilfesuchend zu Charlotte. Sie zuckte mit den Schultern und sagte:

„Ich würde den *Crème* nehmen."

„*Alors*, für Madame einen *Crème*", der Kellner nickte ihr zu und schoss hinterher: „*Petit-moyenougrand?*"„Nein, nein, ich trinke keinen Kaffee, nur Tee." Der Mann zuckte zusammen, bewahrte aber die Contenance.

In die kurze Stille hinein sagte Gabriel: „Klein, mittel, oder groß, will er wissen. Für mich einen *p'tit noir – un express pour moi.*" Er nickte dem Kellner zu.

„*P'tit noir?*" Thomas war nun völlig verwirrt. „Ein kleiner schwarzer Kaffee, ein Espresso. *Petit* wird zu *p'tit.*" Gabriel amüsierte sich köstlich.

„Für mich einen *Crème*", sagte Thomas zum Kellner und lehnte sich aufatmend zurück. „*Petit-moyenougrand?*" Thomas schnitt eine Grimasse. „*Grand.*"

Nachdem der Mann sich zurückgezogen hatte, hub Gabriel an: „Es gibt auch noch den *café gourmand*, den *double ...*"

„Aufhören", rief Thomas, und Charlotte und er brachen in schallendes Gelächter aus.

„Ich weiß schon, warum ich Tee trinke", sagte Charlotte prustend.

„Aber das ist nicht französisch." Gabriel schüttelte missbilligend den Kopf.

„Sie wissen, dass Sie den Rechnungsbetrag nicht aufrunden, sondern später Trinkgeld auf dem Tisch liegen lassen?", fragte er vorsichtig, als der *garçon* die Rechnung brachte. Ja, das zumindest wussten sie.

Als Gabriel sich wortreich von ihnen verabschiedete, sie ihm nochmals dankten und er wiederholte, er habe doch gar nichts getan für sie, noch nicht – da ahnten sie nicht, wie sehr dieses 'noch nicht' sich bewahrheiten würde.

10

Die Rückfahrt nach Deutschland begann in schönster Harmonie; sie ließen die vergangenen Tage in allen Einzelheiten Revue passieren, waren sich einig, dass sie mordsmäßig Glück gehabt hatten, unfassbares Glück. Sie hatten ein wunderbares Anwesen gefunden, ohne richtig gesucht zu haben; der Kaufpreis war fair, die Zwillingsbrüder waren sympathisch, hilfsbereit und aufgeschlossen. (Na ja, den zurückhaltenden Philippe würden sie schon noch knacken.) Und Gabriel, der alte Architekt, war ein Glücksfall. Auch hinter das Thema Schule hatten sie gedanklich einen Haken gesetzt. Sie waren an Antons zukünftiger Schule vorbeigefahren und hatten eine Weile dem Treiben auf dem Pausenhof zugeschaut. „Das sind also die Kinder, mit denen unser Sohn zukünftig spielt und lernt", sagte Thomas nachdenklich. „Sie wirken fröhlich und nett, nicht anders als Kinder bei uns", entgegnete Charlotte. Es klang forsch, aber bei der Vorstellung, ihren Jüngsten jeden Morgen dort abzugeben, zog sich ihr Magen zusammen. Aber wäre das in Deutschland so viel einfacher? Sie hatte den Gedanken abgeschüttelt, das konnte sie immer schon gut, Unangenehmes wegschieben.

„Weißt du noch, der Kellner?", sagte sie jetzt. Bei der Erinnerung an den *garçon* und sein *petitmoyenougrand* bogen sie sich vor Lachen. Auch waren sie sich einig, dass sie ihren kleinen Kombi gegen ein gebrauchtes Wohnmobil tauschen würden, um die Möglichkeit zu haben, unterwegs zu übernachten.

„Und natürlich auch dort, auf dem Hof", sagte Charlotte. Sie hatte ihre Schuhe ausgezogen und die Füße aufs Armaturenbrett gelegt. „Das ist gefährlich, Lotte, wenn ich plötzlich bremsen muss." Sie verschränkte die Arme und schürzte die Lippen. „Passt schon."

„Ja, das Wohnmobil brauchen wir für den Hof, für die Übergangszeit," sagte Thomas. „Die durchaus eine Weile dauern kann", sagte Charlotte und schaute aus dem Fenster. Sie war immer wieder überrascht und begeistert, wie unterschiedlich Frankreichs Regionen sich präsentierten. Aber allen Dörfern gemein waren die sanften Farben, die das Auge erfreuten. Nie gab es schneeweiße Gebäude oder grellblau glänzende Dächer. Warme Erdtöne bestimmten das Bild der Ortschaften. Saftig grüne Wiesen mit gemächlich grasenden Kühen zogen an ihnen vorbei, und Charlotte war mit sich und der Welt zufrieden.

„Unser Häuschen richten wir nur provisorisch her, das geht schnell", sagte Thomas, setzte den Blinker und überholte einen aufreizend langsam fahrenden Golf. „Gerade so, dass wir darin wohnen können." „Unser Häuschen? Was meinst du mit unser Häuschen? Aus beiden Häusern werden doch Ferienwohnungen."

„Jetzt mal langsam." Thomas legte beide Hände ans Steuer und beugte sich leicht vor. „Das ist nicht dein Ernst. Das lassen unsere finanziellen Mittel nicht zu."

„Du willst, dass wir auf die Einnahmen einer zweiten Wohnung verzichten? Genau das", Charlottes Stimme wurde schrill, „lassen unsere finanziellen Mittel nicht zu! Und du willst in ein provisorisch hergerichtetes Haus ziehen – was dann auf immer und ewig provisorisch bleibt – ohne mich."

„Und wo wohnen wir, Lotte?" „Im Wohnmobil. Das Ding heißt Wohnmobil, weil man darin wohnen kann." Charlotte kicherte, zog die Beine an, stellte sie auf den Sitz und umfasste ihre Knie.

„Im Campingbus, das ganze Jahr über, mit den Kindern." Thomas schüttelte den Kopf. „Das ist nicht dein Ernst, Lotte."

„Und ob das mein Ernst ist. Du willst nicht etwa im vorderen Teil des Grundstücks, direkt neben den Feriengästen, wohnen? In einem provisorisch renovierten Haus. Ich fasse es nicht." Sie umfasste ihre Knie noch fester und ignorierte Thomas' nervöse Seitenblicke. „Der Bus kann auf dem hinteren Plateau stehen. Da sind wir für uns. Es darf natürlich kein ganz kleines Wohnmobil sein. Und später baust du dort für uns ein schlichtes Holzhäuschen", schloss sie zufrieden.

„Aber die Kinder, Emily wird bald dreizehn, sie braucht etwas Privatsphäre", sagte Thomas. „Die hatte ich auch nicht, als meine Mutter mich mit zehn Jahren ins Internat gesteckt hat", sagte Charlotte giftig. „Kinder lieben doch Abenteuer. Langfristig müssen wir uns natürlich etwas überlegen", murmelte sie mehr für sich.

„Lotti! Immer willst du mit dem Kopf durch die Wand." „Immer ist ein Unwort." „Passt aber hier ausgezeichnet." Thomas blickte starr geradeaus. „Und mit dir geht es nie vorwärts. Nie!" Sie schleuderte ihm die Worte entgegen. Dann langte sie zu ihm hinüber und drückte wütend auf die Hupe. Thomas schob sie energisch mit seinem spitzen Ellenbogen zurück, schüttelte den Kopf.

Wie abgestandene Luft breitete sich Schweigen um sie herum aus und machte den Raum eng. Charlotte ließ die Seitenscheibe herab, sog die Luft ein wie eine Ertrinkende und machte keinerlei Anstalten, das Fenster wieder zu schließen, obwohl sie wusste, dass Thomas Zugluft hasste. Sie fuhren gerade durch das Burgund, das bedeutete, sie hatten erst die Hälfte der Strecke zurückgelegt, na bravo, dachte Charlotte. Nachdem sie gefühlt hundert Leitpfosten passiert hatten, ließ sie die Fensterscheibe langsam hoch gleiten, griff nach dem Korb mit den Essensvorräten, holte einen Apfel heraus und biss so heftig hinein, dass es krachte und spritzte.

11

Wieder zurück in Wiesbaden, bekam Charlotte unerwartet Schützenhilfe. Der Termin mit ihrem Finanzberater fand in einem Raum statt, der fast so unaufgeräumt war wie das Büro des französischen Bürgermeisters. Aber das war liebenswert chaotisch, dachte Charlotte, eben französisch. Hier berührte es sie unangenehm. Der Berater, ein Mann in ihrem Alter, verkörperte das Klischee eines Bankangestellten; er trug einen dunkelblauen Anzug, dazu ein kräftig blaues Hemd mit einer roten Krawatte, seine dunkelblonden Haare waren sorgfältig gescheitelt.

Nachdem sie vor seinem Schreibtisch Platz genommen und ihre Pläne erläutert hatten, lehnte der Mann sich zurück, verschränkte die Arme und spulte sein Wissen ab: „Ausländer in Frankreich erhalten unter folgenden Bedingungen eine Hypothek auf der Grundlage eines Geschäftsplans, wenn sie: erstens nachweislich Erfahrung als Selbstständige haben, zweitens fließend Wirtschaftsfranzösisch sprechen und drittens seit einigen Jahren in Frankreich leben." Bingo – keine der Voraussetzungen erfüllten sie. Ihr schöner Geschäftsplan, den sie erstellt hatten, war damit Makulatur. Sie benötigten viel mehr Eigenkapital als gedacht, und es war klar, dass sie auf die Einnahmen von zwei Ferienwohnungen angewiesen sein würden. Als Triumph empfand Charlotte diese Aussage nicht. Niedergeschlagen saßen die beiden vor dem Berater, der ihnen beflissen, als vermeintlichen Trost, erklärte, dass sie mit ihrem *promesse de vente* einen sehr günstigen Vertrag abgeschlossen hätten, denn dieser sei nur bindend für den Verkäufer, nicht für sie. Ungewöhnlich, aber gut für sie. Es tröstete sie nicht – Charlotte nicht, weil der Entschluss stand, den Hof zu kaufen, Thomas nicht, weil es ihm unangenehm war, dass sie unwissentlich die Brüder über den Tisch gezogen hatten.

„Es ist doch wesentlich preiswerter und effizienter, zwei Wohnungen gleichzeitig zu renovieren", sagte Charlotte beim Hinausgehen mit betont viel Optimismus in der Stimme und hakte sich bei Thomas unter. „Wir bekommen das hin."

Thomas schaute zweifelnd. „Du weißt schon, was uns, beziehungsweise dir, jetzt bevorsteht", sagte er. „Zwei Gespräche, die es in sich haben. Deine Mutter und die Kinder. Mit welchem möchtest du beginnen?" „Wenn meine Mutter nicht mitmacht, brauchen wir mit den Kindern gar nicht zu reden", sagte Charlotte düster.

An dem Freitagmorgen, an dem sie sich für den Nachmittag bei ihrer Mutter angekündigt hatte, sagte eine Patientin ihren Termin ab, und Charlotte konnte die Praxis viel früher als geplant verlassen – wertvolle Zeit, um sich auf das Gespräch mit ihrer Mutter einzustimmen. Sie überlegte kurz, ob sie bei Luisa vorbeifahren sollte, entschied sich aber dagegen, die Freundin mochte keine spontanen Überfälle und sie stand dem Auswanderungs-Projekt eher kritisch gegenüber.

Charlotte radelte zum Rhein hinunter. Es war ruhig am Schiersteiner Hafen, nur ein paar alte Menschen auf Bänken reckten ihre Gesichter der Sonne entgegen.

Die Takelagen der Segelboote klackerten leise im Wind. Eine Mutter mit Kinderwagen und einem Kleinkind an der Hand steuerte die Rampe an, dort tummelten sich stets die meisten Enten. Die junge Frau bückte sich und fummelte aus dem vollgepackten Unterteil des Kinderwagens eine Tüte mit Brot, die sie einem kleinen, blond bezopften Mädchen in die Hand drückte. Charlotte schaute kurz zu, wie die Kleine ein Stück die Rampe hinunter tippelte, ihre Brotkrumen ausstreute und sich strahlend zu ihrer Mutter umdrehte, als die Enten angewatschelt kamen. Dann beschloss sie in die Pedale zu treten und Richtung Walluf zu radeln, ein paar Kilometer über den Deich, vorbei am Naturschutzgebiet, in dem die Störche und andere Vögel nisteten, das Bild im Hintergrund umrahmt von den sanften Hügeln des Rheingaus.

In Walluf radelte sie gemächlich am Sportplatz vorbei, an dem kleinen Segelhafen, am Weinprobierstand mit dem echten alten Weinfass. Sie näherte sich ihrem Lieblingsplätzchen, einer einfachen Holzbank ohne Lehne. Diese fand sich am Beginn des Leinpfads, direkt am Ufer, ein wenig verborgen durch Sträucher und Büsche, aber mit freiem Blick auf den Rhein. Nur hier, zwischen Walluf und Eltville, war der alte Treidelpfad noch in seinem Urzustand. Sie stoppte, lehnte ihr Fahrrad an die hohe alte Bruchsteinmauer zur Rechten und setzte sich auf die Bank, strich mit den Händen über das raue Holz und schaute auf den ruhig dahin fließenden Strom. Ein paar Meter weiter hatte jemand auf einem Findling eine kleine Platte angebracht mit der Aufschrift 'In

Gedenken an Tina' und daneben eine Eiche gepflanzt, die inzwischen eine stattliche Höhe erreicht hatte. Meist lagen auf dem länglichen Stein kleine Muscheln, ein Sträußchen Blumen, ein Federchen oder im Herbst Eichelhütchen und Kastanien. Hohes Schilf versperrte hier teilweise die Sicht auf den Rhein, aber zwischendrin führten kleine Trampelpfade zum Fluss hinunter. Und im weiteren Verlauf des Weges lockten knorrige alte Bäume mit bis auf den Boden herunter gebogenen Ästen, auf denen man wunderbar herumturnen konnte oder geschützt vor Blicken stundenlang sitzen und träumen konnte.

Was für eine Idylle, dachte Charlotte. Kann es an der Dordogne schöner sein? Was zieht mich dort hin – oder musste die Frage eher lauten – was zieht mich von hier weg? Eigentlich hatte sie dieses Plätzchen aufgesucht, um sich Argumente für die vorzeitige Auszahlung ihres Erbes zurechtzulegen. Doch in ihrem Kopf machten sich nun ganz andere Gedanken breit. Waren sie dabei, einen großen Fehler zu machen? Zu viel zu wagen? Sich haltlos zu verschulden? Wollte sie wirklich immer mit dem Kopf durch die Wand? Hatte Thomas Recht, der mahnte, man dürfe die Bedürfnisse der Kinder nicht außer Acht lassen? Und würde sie jemals gut genug Französisch sprechen, um sich so differenziert auszudrücken, wie es ihr ein tiefes Bedürfnis war? Im Französisch-Kurs hatten sie kürzlich über das Wort Zuneigung diskutiert. *Affection, sympathie* im Französischen. Wie viel schöner, bildlicher, doch das deutsche Wort war — ich bin jemandem zu-geneigt. Sie schüttelte leicht den Kopf, es gab so viele Worte, die im Französischen schöner waren als im Deutschen – auch wenn ihr gerade kein Beispiel einfallen wollte. Beim heimwärts Radeln versuchte sie, ein paar klare Gedanken für das Gespräch mit ihrer Mutter zu fassen, aber sie war zu aufgewühlt. Sie würde es auf sich zukommen lassen müssen. Und wenn ihre Mutter sich weigerte, würden sie es dann als Zeichen nehmen? Oder verbissen nach einer anderen Lösung suchen?

Als sie sich am Nachmittag mit schnellen Schritten der Wohnung ihrer Mutter näherte, empfand sie auch die Schönheit Wiesbadens als fast schmerzlich. Im Rheingauviertel reihten sich wunderschöne Altbauten aneinander, allesamt mit verzierten Fassaden, Erkern und Balkonen, an denen man sich kaum satt sehen konnte. Die Stadt besaß ungewöhnlich viel historische Bausubstanz und alten Baumbestand – nicht umsonst bezeichnete man Wiesbaden als Nizza des Nordens. Du bist sentimental, Charlotte, schalt sie sich. Es ist schön hier, aber das ist es in Sarlat und Umgebung auch. Und die Dordogne mit ihrem engen Flusstal, den wild bewachsenen Ufern und den vielen, den steilen Kalkfelsen geschuldeten *cingles*, den Flussschleifen, war geradezu märchenhaft schön. Und sie rief sich ihre Träume in Erinnerung: In ein fremdes Land mit einer anderen Kultur eintauchen. Sich neuen Herausforderungen stellen und daran wachsen. Raus aus alten Mustern. Leben, wo andere Urlaub machten. Mehr in der Natur sein.

Ihre Mutter empfing sie mit den Worten: „Musst du immer so einen Sack mit dir herumtragen." Zunächst wusste Charlotte gar nicht, was sie meinte. „Es gibt so schöne Handtaschen. Und abgestoßen ist das Ding auch." Charlotte schaute auf ihren geliebten Rucksack; er beulte sich aus, weil sie ihn wie immer vollgestopft hatte, und er war an einigen Stellen abgeschabt, in der Tat.

„Und diese Strickjacke," Hannelore seufzte. „Als ambitioniert kann man deinen Kleidungsstil nicht bezeichnen." Wie gewohnt ließ Charlotte die bissigen Bemerkungen an sich abperlen.

„Allzu viel Zeit habe ich nicht", erklärte Hannelore. „Du weißt dass ich freitags Doppelkopf spiele, also, was gibt es denn so Wichtiges, dass du vorbeikommst – dazu noch ohne meine Enkelin." Sie zog sich einen Stuhl heran und setzte sich auf die vordere Kante.

Du hast auch einen Enkel, Mama, lag Charlotte auf der Zunge, ebenso wie die Bemerkung, dass andere Mütter sich freuten, wenn ihre Tochter zu Besuch kam. Aber es ging hier um anderes. Sie setzte sich ihrer Mutter gegenüber und knetete ihre Finger unter der Tischplatte.

„Du erinnerst dich, dass wir überlegen, in Frankreich einen Hof zu kaufen und Ferienwohnungen daraus zu machen."

„Ja, das sagtest du. Wohnungen?" Hannelore zog die perfekt gezupften Augenbrauen nach oben und die letzte Silbe in die Länge.

„Zwei Wohnungen bieten sich an, es ist genügend Platz – und es rechnet sich sonst nicht." Charlotte drückte die Finger ihrer geballten rechten Faust in die linke und zwang sich, ruhig zu atmen.

„Ich verstehe nicht, was ihr in Frankreich wollt. Und warum ihr Wohnungen für andere Menschen herrichten müsst." Hannelore rückte auf dem Stuhl nach hinten, ließ sich an die Lehne sinken und tippte mit dem Finger an den Mittelsteg ihrer Brille.

„Das ist das, was uns Freude macht. Es ist eine herrliche Gegend, das Gehöft bietet viel Potenzial. In unserem Häuschen in Schierstein lässt sich nicht mehr viel gestalten, aber dort gibt es andere Möglichkeiten. Umbauen, ausbauen, Pläne machen, Ideen entwickeln, schönen Wohnraum schaffen, Räume, in denen Menschen sich wohlfühlen, das war schon immer mein Traum." Charlotte legte ihre rechte Hand auf den Tisch, malte mit zwei Fingern Kreise auf den blankpolierten Tisch, zog ihre Hand zurück, als sie den Blick ihrer Mutter bemerkte.

„Du sagst das so, als ob ich dafür kein Verständnis hätte. Schau dich doch um, kann eine Wohnung schöner sein? Mir war ein schönes Nest auch immer besonders wichtig."

Charlotte hob ruckartig den Kopf. „Ja, das war es dir. Nur dass du mich mit zehn Jahren aus dem wunderschönen Nest geschmissen hast." „Ich hatte keine Wahl, das weißt du." Hannelore tippte erneut an ihre Brille, dieses Mal ließ sie den Finger länger dort ruhen, als wolle sie ihr Gesicht verbergen. Weiß ich nicht, wollte Charlotte aufbrausen, pfiff sich aber zurück. Es ging jetzt nicht um ihre verunglückte Kindheit.

Nur kurze Zeit später stolperte Charlotte verwirrt die Stufen des gepflegten Treppenhauses hinunter. Ihre Mutter hatte ohne viel Federlesens eingewilligt, ihr einen Teil des Erbes vorzeitig auszubezahlen. Sie hätte glücklich sein müssen, aber es fühlte sich nicht an wie ein Sieg. Das schale Gefühl, dass es ihrer Mutter letztlich egal war, wenn sie in über tausend Kilometern Entfernung mit ihrer Familie ein neues Leben begann, wollte nicht weichen.

Als sie Thomas abends davon erzählte, meinte er: „Du hast auf den richtigen Knopf gedrückt." Als sie ihn fragend anschaute, sagte er: „Das Internat." „Hatte ich aber nicht geplant", sagte Charlotte und betrachtete den Rotwein in ihrem Lieblingsglas. „Sie betont stets, dass sie keine Wahl hatte. Und sie ist davon überzeugt, dass das nur zu meinem Besten war." „Wenn du dich da mal nicht irrst. Das ist ihre Achillesferse", sagte Thomas bestimmt.

„Wie auch immer", Charlotte stellte das Glas ab und rieb sich die Hände. „Kommen wir zu Punkt zwei, der Unterredung mit den Kindern. Neben einem ausgeklügelten Gesprächsleitfaden ...", sie lachte, als sie Thomas' Gesicht sah. „Das war ein Scherz, aber ich habe mir etwas einfallen lassen. Ich habe einen Trumpf in der Hand."

12

Thomas hatte darauf bestanden, dass Charlotte ihn
vor dem Gespräch mit den Kindern in ihre Pläne
einweihte. Sie hätte natürlich am liebsten vor der
kompletten Familie ihre Idee aus dem Hut gezogen
und sich dann in Thomas' Bewunderung gesonnt.
Aber natürlich hatte er Recht. Sie sollten beide an
einem Strang ziehen. Und sie sollte auf keinen Fall
etwas überstürzen. „Da sind wir uns einig, Lotte?
Lotte?" Sie hatte genickt und bei sich gedacht, lass
mich mal machen.

Am Samstagmorgen deckte Charlotte den Frühstückstisch mit den Lieblingssets von Emily und
stellte eine Vase mit duftenden Wildrosen in die
Mitte. Wie immer kam Anton als erster in die Küche, schwang sich auf die Eckbank und rief dann:
„Hm, Kakao". Und wie immer mussten sie fünfmal
nach Emily rufen. Anton brüllte irgendwann durchs
Haus: „Es gibt Kakao und noch etwas Leckeres."

In einem rosa-weiß getupften Pyjama, dessen
Oberteil halb in die Schlafanzughose gestopft war,
teils darüber hing, betrat Emily die Küche und kniff
die Augen zusammen. „Was ist denn hier los? Gibt
es etwas zu feiern?"

„Nicht direkt", sagte Charlotte, die sich mit klopfendem Herzen zwang, sich auf einen Stuhl zu setzen und dort auch sitzenzubleiben. „Aber wir müssen mit euch reden." Jetzt schnupperte Emily, sie
hatte das dampfende Rührei entdeckt, dass ihr Vater
gerade auf einen flachen Teller schob, und ihre Miene hellte sich auf.

„Na dann, guten Appetit", sagte Thomas und warf Charlotte einen warnenden Blick zu. „Wir haben überlegt, heute Nachmittag ins Schwimmbad zu fahren, wenn ihr Lust habt." Anton nickte begeistert, Emily immerhin zustimmend. Blumen-, Kaffee-, und Kakaoduft mischten sich im Bemühen, für eine gemütliche Frühstücksatmosphäre zu sorgen, aber die Spannung im Raum war dennoch greifbar.

„Ihr wollt uns etwas sagen?" Anton leckte einen Rest Kakaosahne aus dem Mundwinkel und blickte ängstlich zwischen seinen Eltern hin und her. „Ist es etwas Schlimmes?"

„Nein Schatz, es ist etwas Schönes." Charlotte legte ihrem Jüngsten die Hand auf den Arm und tätschelte ihn – ihn, oder eher sich selbst beruhigend?

Thomas begann vorsichtig über den Hof in Frankreich zu reden, wie gut es ihnen allen dort gefallen hätte, wie schön es wäre, mehr Zeit in der Natur und mit Tieren verbringen zu können ...

„Ihr wollt uns nach Frankreich verschleppen!" Emily pfefferte ihr Messer auf den Tisch; Anton sah sie mit großen Augen an, dann zog er die Augenbrauen zusammen und schaute in die Gesichter seiner Eltern.

„Von Verschleppen kann keine Rede sein", sagte Thomas und griff nach Emilys Hand, die sie ihm abrupt entzog.

„Ihr müsst nicht denken, dass ich blöd bin, ich habe mir das schon länger gedacht, dass ihr so etwas plant, aber – ehrlich, dass ihr das wirklich durchziehen wollt – krass. Und du sagst, es wäre etwas Schönes", sie funkelte ihre Mutter an. „Das könnt ihr gerne machen, aber ohne mich, ich ziehe dann zu Oma." Das saß, diese Antwort hatten sie nicht auf dem Schirm gehabt.

„Und ich?", piepste Anton.

„Entweder wir gehen alle zusammen, oder keiner", sagte Thomas. „Aber lasst uns doch erst einmal mehr erzählen, dann seid ihr dran." Mit sanfter Bestimmtheit drückte er Emily in den Stuhl zurück.

„Ich muss mir das nicht anhören." Emily verschränkte erst die Arme, dann hielt sie sich die Ohren zu.

Anton blickte besorgt zwischen seiner Schwester und seinen Eltern hin und her. „Aber wir sollen uns anhören, was Papa sagt." Seine kleine Hand griff nach Emilys größerer und zog sie mit aller Kraft vom Ohr. „Wir sollen uns anhören, was Papa sagt", äffte sie ihn nach. „Begreifst du nicht, was hier abgeht?"

Es wurde eine zähe Veranstaltung. Wie erwartet, freundete Anton sich recht schnell mit der Vorstellung eines Lebens auf dem Hof an, für ihn war immer das Wichtigste, dass seine Familie um ihn herum war. Und als Charlotte einwarf, dass das ein wunderbares Abenteuer werden würde, so eins, das sie sich alle schon immer gewünscht hatten, nickte er bedächtig; Emily schaute ihn mit offenem Mund an und zischte: „Verräter." Mit Blick zu ihren Eltern: „Und ihr erst recht."

„Das ist wie auf einem Bauernhof, mit Tieren, Emmi, das wolltest du doch auch immer." Anton bemühte sich, seine Stimme möglichst kraftvoll klingen zu lassen. „Inzwischen bin ich aber zwölf, hier sind meine

Freunde, und was soll ich in einem Kaff in Frankreich?", fauchte Emily.

„Du wolltest unbedingt Französisch als erste Fremdsprache wählen, weil du Frankreich so toll fandest, erinnerst du dich?", fragte Charlotte vorsichtig. „Ja, aber das heißt ja nicht, dass ich dann auch in Frankreich leben muss." Emily tippte mit dem Finger an die Stirn und verschränkte ruckartig die Arme.

„Wir dürften bestimmt einen Hund haben", überlegte Anton laut, dem der Gedanke auf ein großes Abenteuer, mit dem er bei seinen Freunden punkten konnte, zunehmend gefiel. Für den Bruchteil einer Sekunde suchte Emily den Blick ihrer Mutter. Geistesgegenwärtig nickte die. Emily griff hastig nach einer Tomate, beugte sich tief darüber und biss hinein.

Thomas hielt das für den richtigen Augenblick, die Diskussion zu beenden und sagte: „Das war jetzt etwas viel auf einmal. Wir reden morgen weiter. Wann wollen wir los, zum Schwimmbad?" Charlotte, die nur auf ihren Einsatz gewartet hatte, rief, „halt", sprang auf und holte aus einem Schrank eine Mappe mit Fotos und Zeitungsausschnitten.

„Wir würden es uns richtig schön machen", sagte sie, ignorierte Thomas' Stirnrunzeln und breitete eine Reihe von Bildern aus, die alte Wohnwagen und einen Schäferwagen zeigten — allesamt pastellfarben lackiert und in schönster Umgebung fotografiert, inmitten bunt blühender Gärten. Auf einer Holztreppe vor dem Schäferwagen standen auf jeder Stufe üppig mit roten Geranien bestückte Töpfe. Jedes Foto Idylle pur.

„Was soll das?", fragte Emily unwirsch. „Warum zeigst du uns das?"

„Irgendwo müssen wir auch wohnen. Und das Wohnmobil ist auf Dauer zu eng für uns vier."

Emily sprang von der Bank auf und stieß dabei erst ihren Teller, dann ihre Tasse um, eine kleine Lache kalten Kakaos breitete sich auf dem Tisch aus. „Da sollen wir wohnen? Die Häuser wollt ihr gar nicht für uns renovieren?" Ihre Stimme drohte zu kippen: „Die sind für fremde Leute."

„Jetzt mal langsam", sagte Thomas mit bemüht sanfter Stimme. „Langfristig ..."

„Langfristig", höhnte Emily. „Das ist alles noch viel schlimmer als ich dachte. Ihr zerstört mein Leben."

„Wir brauchen das Geld", sagte Charlotte tonlos.

„Schluss jetzt!" Thomas schlug leicht mit der Hand auf den Tisch. Charlotte zuckte zusammen, so kannte sie ihren Mann gar nicht. „Wir reden ein anderes Mal weiter. Jetzt gehen wir uns erst mal abkühlen. Holt eure Schwimmsachen."

Anton stand zögernd auf, Charlotte blickte zu ihrer Tochter und sah ihren inneren Kampf. Emily ging für ihr Leben gern Schwimmen, und sie war eine super Kraulerin. Sie liebte die Wettschwimmen mit ihrem Vater, zumal absehbar war, dass sie ihn bald überholen würde. „Ohne mich", stieß sie hervor. „Könnt ihr euch schon mal dran gewöhnen, wie das Leben ohne mich ist."

Als Charlotte abends die nassen Schwimmsachen im Badezimmer aufhängte, kam Thomas ihr nach und machte ihr heftige Vorwürfe: „Warum konntest du nicht warten mit dem Thema Bauwagen? Das war unklug, Lotte. Antons Idee mit dem Hund war prima. Warum musst du immer vorpreschen. Schritt für Schritt, so hatten wir es vereinbart."

„Aber die Kinder hätten sowieso bald mitbekommen, dass nicht wir in die Häuschen einziehen, sondern Feriengäste." Thomas reichte ihr eine Wäscheklammer an, aber sie wies ihn brüsk zurück. „Brauche ich nicht." Sie warf ihren Badeanzug über die Leine. „So haben sie jetzt wenigstens ein Bild vor Augen, wie schön das trotzdem für uns wird."

Thomas lehnte sich ans Waschbecken und griff nach seinem Ohrläppchen. „Lotte, du bist gerade dabei, den gleichen Fehler wie deine Mutter zu machen – Emily gegen ihren Willen an einen Ort zu verfrachten, an dem sie nicht sein will."

„Es ist ja wohl ein Unterschied, ob ich ins Internat geschickt werde – übrigens ohne, dass vorher mit mir darüber geredet wurde –, oder ob ich auf einem Hof in einer traumhaften Umgebung in einem wunderschönen Land leben darf."' Es knallte, als sie Antons Badehandtuch ausschlug.

„Das ist deine Sicht, Lotte, versetz dich mal in die Kinder, für die fühlt sich das nicht so schön an."

„Pah", sagte Charlotte, „du hast ja keine Ahnung." Wütend griff sie nach der leer geräumten Schwimmtüte und rannte aus dem Badezimmer.

13

Das Frühstück am nächsten Morgen verlief frostig, immerhin zu viert, wenn auch mit einer Emily, die keinen Ton sagte. Die Eltern versuchten es immer mal wieder mit einer unverfänglichen Bemerkung, aber Emily schwieg eisern und Anton wirkte verängstigt. Als absehbar war, dass alle demnächst ihr Frühstück beendeten, sagte Thomas vorsichtig: „Lasst uns noch mal über Frankreich reden, ganz in Ruhe." Er beugte sich zu Emily, legte seine Hand auf ihre (sie ließ es zu) und sagte: „Sollte dir das Leben in Frankreich gar nicht gefallen, kannst du zurückgehen nach Deutschland, wenn du mit der Schule fertig bist."

„Ja klar, das sind ja auch nur sieben Jahre." Emily schnaubte wie ein junges Pferd.

„Sechs", sagte Charlotte. „Auslandsaufenthalte machen sich übrigens später ausgesprochen gut im Lebenslauf."

„Wen interessiert das denn?", sagte Emily höhnisch. „Wahrscheinlich ist alles sauschwer, ich verstehe nur die Hälfte, und ich muss ein Schuljahr wiederholen – müsste", verbesserte sie sich rasch.

Anton sah sie mit aufgerissenen Augen an. „Ähm, Schule? Ist da alles auf Französisch?" Seine Stimme klang dünn.

„Du hast wohl gedacht, in Frankreich musst du nicht in die Schule", sagte Emily und lächelte mitleidig. „Natürlich ist da der Unterricht auf Französisch, was dachtest du denn, du Dummerchen?"

„Aber ich kann doch gar kein Französisch", jammerte Anton und sah hilfesuchend zu seinen Eltern.

„Und wenn ich kein Französisch kann, wird alles noch viel schlimmer."

Charlotte schaute zu Thomas. Siehst du, was ich meine, sagte sein Blick. „Anton, Schatz", Thomas griff nach den kleinen Händen, sie sahen verloren aus zwischen seinen langen dünnen Fingern, „wir reden mal in Ruhe darüber, nur wir drei." Er warf Emily einen vorwurfsvollen Blick zu.

„Ja klar, in Ruhe, du immer mit deiner Ruhe, Ruhe macht alles besser." Wäre die Situation nicht so ernst gewesen, Charlotte hätte wohl geschmunzelt über den Ausbruch ihrer Tochter. Emily stand auf und verließ mit verächtlicher Miene und hoch erhobenem Kopf die Küche, Anton schlich wie ein geprügelter Hund hinterher.

„Super", sagte Charlotte. „Das hörte sich so an, als stünde die Entscheidung nach Frankreich zu gehen, schon fest. Das hätte ich mir mal erlauben sollen." „Du hast Recht, das war nicht schlau." Thomas schüttelte den Kopf. „Ehrlich gesagt, die ganze Situation überfordert mich, ich kann die Kinder verstehen, auch finanziell ist alles schwieriger als erwartet. Und gleichzeitig möchte ich unseren Traum verwirklichen."

Charlotte stieß einen Seufzer der Erleichterung aus – „ich hatte schon befürchtet, du würdest es dir anders überlegen." „Ich möchte es, aber nicht um jeden Preis." Er fuhr sich mit beiden Händen durch die Haare.

„Da sind wir uns einig." Charlotte ging auf ihren Mann zu, rüttelte leicht an seinen Schultern. „Wir schaffen das."

„Wir müssen mit Anton reden, was da los ist beim Thema Schule." „Da bin ich ganz bei dir", sagte Charlotte, hob den Kopf und küsste Thomas nachdrücklich auf den Mund.

Die Gelegenheit zu einem Gespräch mit Anton ergab sich schneller als erwartet. Emily sagte, sie sei mit ihrer Freundin verabredet, sie wollten für die Mathearbeit lernen. Das war ungewöhnlich an einem Sonntag, aber sie vermuteten, dass Emily jemanden brauchte, dem sie ihr Herz ausschütten konnte.

Als sie Antons Zimmer betraten, saß er auf dem Fußboden und starrte vor sich hin, umgeben von Legosteinen. In seiner Hand hielt er zwei Minifiguren; Thomas erkannte den Mechaniker und den Tierarzt, die für Anton wichtigsten Figuren seiner dreistöckigen Lego Eckgarage. Wochenlang hatten er und Thomas an dieser Garage, einem schmucken Bau im Stil der Fünfzigerjahre, gebaut. Die Autowerkstatt mit einem Reifenwechsler und einer Hebebühne war Antons ganzer Stolz, sein Entzücken grenzenlos, als er feststellte, dass sich das Rolltor vor der Autowerkstatt bewegen ließ, hoch und runter. Selbst Emily, die seinerzeit, angezogen von Antons Freudenschreien, zunächst gelangweilt im Türrahmen stehen geblieben war, war näher gekommen und hatte das Teil bewundert. Als sie die voll ausgestattete Tierarztpraxis mit einem Warte- und Behandlungszimmer im ersten Stock entdeckt hatte, gab es auch für sie kein Halten mehr. Sie hatte sich auf den Boden gehockt, Hund und Kaninchen auf den Untersuchungstisch gelegt und mit Schere, Spritze, Mikroskop hantiert.

Nun war das Lego Bauwerk fast komplett zerstört, die Steine waren im ganzen Raum verstreut. Der türkisfarbene Motorroller lag in der hintersten Ecke des Zimmers, der blaue Abschleppwagen auf die Seite gekippt daneben.

Charlotte setzte sich auf den Boden, mit kleinem Abstand zu Anton. Auch Thomas ließ sich nieder, lehnte sich mit dem Rücken an die Kommode, schob seine Arme unter die Oberschenkel und ließ seinen Blick vorsichtig durchs Zimmer wandern.

„Anton, Schatz, was ist los?" Charlotte strich ihrem Sohn vorsichtig übers Haar. Er versteifte sich, starrte weiter auf die beiden Männchen in seiner Hand. „Du machst dir schreckliche Sorgen, stimmt's? Aber das musst du nicht. Wir sind doch für dich da." Die kleinen Hände krampften sich um die Minifiguren. „Was macht dir denn so Angst, ein Vielleicht-Umzug nach Frankreich oder die Schule?" Es blieb eine Weile still, dann brach es aus Anton heraus: „Aber das ist es ja gerade. Frankreich macht alles noch viel schlimmer."

„Alles – das ist die Schule?", fragte Thomas.

Anton nickte heftig. „Emily kann doch schon Französisch, und sie wird bestimmt in Frankreich genauso gut in der Schule sein wie hier."

„Mag sein", sagte Charlotte. „Aber du ..."

„Ich werde niemals so gut sein in der Schule wie Emily. Sie kann alles, und sie weiß alles. Und sie sagt ständig Dummerchen zu mir, und in meinem Alter hätte sie schon sooo viel mehr gewusst als ich." Er hob den Blick und sah erst Thomas, dann Charlotte an. Es schnitt ihnen ins Herz.

„Aber du weißt doch noch gar nicht, wie es dir in der Schule geht."

„Emily sagt, ich würde mich noch wundern, was in der Schule auf mich zukommt." Er senkte wieder den Kopf und flüsterte: „Und dann sprechen alle Französisch, und ich verstehe gar nichts." Thomas und Charlotte tauschten einen Blick.

Anton zog seine Augenbrauen zusammen, schaute düster und stieß hervor: „Emily ist das schlauste Kind, das sie kennt – sagt Oma. Deshalb hat sie sie auch viel lieber als mich, genau wie ihr."

„Jetzt mal langsam", sagte Thomas, der nach einem schnellen Blick zu seiner Frau die Explosionsgefahr erkannte. „Wir sortieren jetzt mal."

„Hilfst du mir, das alles wieder aufzubauen? Du hast doch gar keine Zeit?" Anton blickte seinen Vater an, verwirrt und hoffnungsvoll zugleich. „Erst mal sortieren wir das, was da oben in deinem Köpfchen drin ist", sagte Thomas.

„Und das, was hier gerade los ist, auch." Charlotte legte ihre Hand auf Antons Herz und ließ sie dann langsam in Richtung Bauch rutschen, kreiste behutsam um seinen Bauchnabel. Wie so oft zuvor, verfehlte das nicht seine Wirkung, Charlotte konnte spüren, wie die Spannung aus dem kleinen Körper wich, und nach einiger Zeit ließ Anton es zu, dass Charlotte den Arm um ihn legte und ihn sanft an sich zog.

„Wir kochen jetzt einen schönen Kakao und dann reden wir in Ruhe über alles. Um das hier", Thomas machte eine Bewegung, die das ganze Zimmer umfasste, „kümmern wir uns später, versprochen."

Als Charlotte abends an Antons Bett saß und ihn forschend ansah, war ihr zwar klar, dass es in seinem Kopf und Bauch immer noch rumorte, aber die Wellen schlugen nicht mehr so hoch. Sie hatte ihm versprochen, dass sie im Falle eines Umzugs mit ihm Französisch üben würde, nur mit ihm. Thomas hatte ihn daran erinnert, was er alles besonders gut konnte. „Überleg doch mal, wie oft du sagst, das ist doch pupsileicht, bei vielem, was anderen Kindern schwer fällt." „Auch Emily", hatte Charlotte eingeworfen und sich gleich danach auf die Zunge gebissen, den Vergleich mit seiner Schwester wollte sie keinesfalls fördern. Viel mehr ging es nun darum, ihrem Sohn klarzumachen, wie lieb sie ihn hatten, völlig unabhängig von dem, was er konnte oder was er tat. Er war doch ihr Anton, ihr über alles geliebter Sohn. Das hatten sie immer wieder und wieder gesagt, wie eine Medizin eingeträufelt, und nach und nach zeigten ihre Worte Wirkung. Aber beiden war auch bewusst, dass sie Anton in der letzten Zeit ein wenig aus dem Blick verloren hatten. Nicht nur durch ihre Auswanderungspläne, auch die häufiger werdenden Konflikte mit Emily hatten den pflegeleichten Anton in den Hintergrund rücken lassen. Baustellen auf allen Ebenen, Charlotte unterdrückte einen Seufzer. Sie lächelte Anton zu, kuschelte ihn liebevoll ein und verließ das Zimmer, Richtung Küche, in der Hoffnung, den Nachmittag noch einmal mit Thomas zusammen Revue passieren zu lassen. Aber Thomas saß inzwischen im Schlafzimmer am Rechner, Baupläne eines städtischen Schwimmbads auf dem Bildschirm; er kaute Kaugummi und blickte nicht einmal auf, als sie den Raum betrat und sich vernehmlich räusperte.

„Thomas?" Keine Reaktion. „Thomas?"

„Hm?"

„Meinst du ..."

„Lass' gut sein, Lotte, für heute reicht es. Schritt für Schritt."

Charlotte begann die auf den stummen Dienern aufgehäuften Klamotten in den Schrank zu räumen. Beim Klappern der Kleiderbügel blickte Thomas auf, runzelte die Stirn und sagte: „Ich kann so nicht arbeiten." „Sollst du ja auch nicht", entgegnete sie schnippisch. Erst als es nichts mehr Aufzuräumen gab, trollte sie sich ins Badezimmer. Es war immer das Gleiche mit Thomas, wenn nach seiner Meinung das Nötigste gesprochen worden war, ließ er die Rolladen herunter.

14

In der folgenden Woche erbot sich Thomas, Emily zum Reiten zu fahren. Charlotte, die sich vorgestellt hatte, Emilys stets gute Laune nach dem Reiten zu nutzen, um sie erneut auf das Frankreich-Thema anzusprechen, war nicht begeistert. Aber da sie sich stets beschwerte, dass alles an ihr hängen blieb, murmelte sie ein halbherziges „schön" – nicht ohne Thomas einen misstrauischen Blick zuzuwerfen. Emily brachte ein Sehr gut in ihrer Französisch-Arbeit nach Hause, es schien sie nicht wirklich zu freuen, und die Eltern hüteten sich, eine Brücke zum Thema Leben in Frankreich zu schlagen.

Aber Charlotte wurde zusehends nervös, sie konnte sich schlecht konzentrieren, ihre Gedanken kreisten darum, wie man Emily dazu bringen könnte, dem Thema Auswandern wenigstens eine Chance zu geben. „Das ist das mindeste, was wir erreichen müssen, bevor wir in den Sommerferien nach Frankreich fahren – dass sie offen ist – sie muss nicht begeistert sein, aber sie sollte ihren erbitterten Widerstand aufgeben. Sonst sehe ich schwarz für den Familienfrieden." Das war die Marschrichtung, die Thomas vorgegeben hatte, und Charlotte hatte ihm zugestimmt. Aber die Zeit zerrann ihnen zwischen den Fingern.

Und an diesem Tag ging mal wieder alles schief; Charlotte kam zu spät in die Praxis, weil die Handwerker deutlich länger als erwartet mit dem Ablesen des Stroms beschäftigt gewesen waren. Zudem könne die Wasseruhr nicht abgelesen werden, das müsse nachgebessert werden, sie würden sich melden. Sie hatte keine Ahnung, was die Männer von ihr wollten, sie wusste nur, es war wieder ein Termin, bei dem sicherlich sie zu Hause sein musste. Ihre Kollegin warf ihr vorwurfsvolle Blicke zu, zu Recht, denn sie hatte am Vortag vergessen, ihr einen Zettel mit einer Patientenabsage hinzulegen. Ihr Patient, Herr Diester, ein älterer Herr, der seit Monaten wegen seines rechten Beins in Behandlung war, wartete schon ungeduldig auf Charlotte. Er legte sich auf die Liege, und sie griff nach dem linken Bein, begann, es mit energischen Griffen zu bearbeiten. „Frau Liebig?" Herr Diester räusperte sich, aber Charlotte massierte unverdrossen weiter. „Es ist mein rechtes Bein." Was für ein Glück, dass er ein so freundlicher Mann war, sie entschuldigte sich, und dann lachten sie gemeinsam darüber.

Als Charlotte mittags völlig erschöpft und zittrig vor Hunger die Wohnungstür aufschloss, dröhnte aus dem ersten Stock Musik. Emily sang lauthals zu einem Song von Ed Sheeran, und es war noch eine zweite Stimme zu hören. Charlotte hatte sich auf ein schnelles Mittagessen allein eingestellt; dass Emily schon zu Hause war und Besuch hatte, passte ihr gar nicht. „Bin da, koche uns etwas", rief sie vom Treppenabsatz. „Paula ist auch da, kann sie mit uns essen?", tönte es von oben. Charlotte wunderte sich, dass Paula neuerdings bei ihrer Tochter so hoch im Kurs stand. Sie kochte ein paar Nudeln, um den Auflauf vom Tag zuvor zu strecken, und rief: „Essen ist fertig!"

Sie hörte kaum hin, als die Mädels beim Essen über Ed Sheeran und Pink redeten und sich über einen Jungen lustig machten, der auf dem Pausenhof immer ihre Nähe suchte. Plötzlich drehte Emily sich zu ihrer Mutter und sagte mit halbvollem Mund: „Kann Paula mit uns in den Ferien nach Frankreich fahren? Das geht doch, oder?" Ihr Ton ließ keinen Zweifel an einem Ja zu.

Charlotte ließ die Gabel sinken. Sie mochte Paula, sie wirkte unkompliziert und war das, was man gut erzogen nannte. Allerdings war die Beziehung der beiden Mädchen erst in der letzten Zeit so eng geworden – und dann gleich ein gemeinsamer Urlaub? Und sie brauchten doch die Zeit zu viert, vor allem die Gelegenheit, mit Emily in Ruhe zu reden.

„Hm", sagte sie zögerlich, „das könnte eng werden im Wohnmobil. Und wir würden mindestens vier Wochen bleiben, wahrscheinlich sogar länger."

Paula und Emily schauten sich an und nickten. „Klar, kein Problem", sagte Emily. Charlotte überlegte angestrengt – einerseits würde so viel Zeit auf engem Raum die Bindung zwischen den beiden weiter verstärken und damit sicher auch Emilys Widerstand gegen das Auswanderungsprojekt. Andererseits, ihrer Tochter das jetzt abzuschlagen, würde die Stimmung keinesfalls verbessern. Sie seufzte und sagte: „Ich rede heute Abend mit Papa."

„Das klappt", sagte Emily vergnügt zu Paula und lud sich eine weitere Ladung Nudeln auf den Teller.

Tatsächlich teilte Thomas Charlottes Bedenken nicht. „Die Bindung der beiden ist schon sehr eng, das kannst du nicht mehr verhindern, und wenn du ihnen das jetzt verwehrst, bringst du Emily nur noch mehr gegen uns auf. Es wird ihr gut tun, Paula an ihrer Seite zu haben." „Wenn du meinst ..." Charlotte zwang sich, Bilder von gemütlichen Stunden zu viert und entspannten Mutter-Tochter-Zeiten loszulassen, die waren sowieso unrealistisch.

Die Sommerferien rückten näher, die Tage waren randvoll ausgefüllt. Thomas beschäftigte sich in jeder freien Minute mit den technischen Gegebenheiten des Wohnmobils, das sie günstig erstanden hatten – mit Gas, Wasser, Strom, Frisch- und Schmutzwasser. Charlotte kümmerte sich um die Ausstattung, das Bestücken mit allem Notwendigen für fünf Personen. Anton war begeistert bei der Aussicht auf Urlaub mit dem Wohnmobil, und auch seine immer näher rückende Einschulung vermochte nicht, ihn in seiner guten Laune zu erschüttern. Er hatte mit seinem Papa inzwischen die Lego Eckgarage wieder aufgebaut, und in diesen Stunden war es Thomas gelungen, Antons Selbstbewusstsein etwas aufzupäppeln und seine Bedenken hinsichtlich seiner Schulkarriere zu zerstreuen.

Emily und Paula waren unzertrennlicher denn je. Es entlastete Charlotte, weil es kaum Zusammenstöße zwischen ihr und ihrer Tochter gab. Aber es bereitete ihr auch Sorgen, denn sie fragte sich, wie es gelingen sollte, Emily für ihr Auswanderprojekt zu gewinnen, wenn sie sich so von ihrer Familie absonderte. Es war kein Thema mehr gewesen, dass Emily zu Oma Hannelore ziehen wollte, aber ab und an beschlich Charlotte der Gedanke, dass sie womöglich bei Paulas Familie Asyl beantragen wollte, ihrer Tochter traute sie das durchaus zu. Paula war Einzelkind, und die Familie wohnte in einem geräumigen Haus. Nicht darüber nachdenken, sagte sie sich, wenn sie sich in diesen Gedanken verlor. Thomas hatte zufällig gehört, wie Emily Paula gegenüber ihren französischen Urgroßvater erwähnt hatte und deutete das als gutes Zeichen. 'Geduld' war sein wiederkehrendes Wort in den Gesprächen mit Charlotte, und je öfter sie es hören musste, desto mehr brodelte es in ihr.

Am Tag vor der Abreise – Charlotte sammelte gerade in der Küche die Dinge ein, die sie mitnehmen wollte (Gewürze, Teesieb, Kartoffelstampfer) –, fiel ihr die Mappe mit den Fotos der Bau- und Schäferwagen ein. Sie hatte diese seinerzeit, nach ihrem verunglückten Auftritt, hastig in die unterste Küchenschublade gelegt. Sie zog die Mappe heraus und schlug sie auf. Zuoberst lag die Hochglanzseite, die einen restaurierten, weinrot (Emilys Lieblingsfarbe!) lackierten Eisenbahnwaggon zeigte – mit den charakteristischen, leicht gerundeten Fenstern, dicht an dicht aneinandergereiht. Auf der überdachten Holzveranda vor dem Waggon standen zwei Bänke und ein kleiner runder Tisch, sowie Kübel in allen Größen, die mit Sommerblumen in Blau, Violett, Rosa und Weiß bepflanzt waren. Dies war eindeutig das schönste Foto ihrer Sammlung, und Charlotte ärgerte sich maßlos, dass sie nicht dazu gekommen war, es den Kindern zu zeigen. Der heftige Streit, genauer gesagt Emilys Ausraster, hatte das Thema beendet. Nachdenklich nahm sie die Mappe und legte sie zu den Sachen, die ins Wohnmobil sollten. Eigentlich

110

war sie sicher, dass dieses Foto zuunterst gelegen hatte, überdeckt von den anderen. Vielleicht hatte Thomas ihre Idee doch nicht so schlecht gefunden und sich die Fotos noch einmal angeschaut?

15

Den Tag für die endgültige Vertragsunterzeichnung hatten Thomas und Charlotte auf zwei Wochen nach ihrer Ankunft in Frankreich gelegt. Thomas hätte den Termin gerne noch weiter nach hinten geschoben. Er argumentierte, jeder projektfreie Tag auf dem Campingplatz könne helfen, die Kinder auf ein Leben in Frankreich einzustimmen, vor allem Emily. Charlotte war der Ansicht, eine Woche müsse reichen, sie würden zu viel Zeit verlieren, es gäbe so viel zu regeln. Und unterschreiben würden sie doch sowieso – oder wolle er etwa auf die ausdrückliche Zustimmung seiner Tochter warten? Sie hatten sich auf zehn Tage Campen am Fluss geeinigt, danach würden sie mit dem Wohnmobil auf den Hof umsiedeln. Charlotte hatte eingesehen, dass Thomas die besseren Argumente hatte. Aber es fiel ihr schwer, ihre Ungeduld zu zügeln, sie wollte etwas tun, den Prozess beschleunigen.

Der idyllisch gelegene Campingplatz grenzte an das Ufer der Dordogne. Ausladende Eichen boten ein wenig Schatten vor der sengenden Sonne. Gegenüber dem breiten Kiesstrand ragten mächtige Kalksteinfelsen steil empor. In der Mitte des Flusses, im gleißenden Licht, diente eine kleine weiße Kiesinsel einem Schwanenpaar als Anlaufpunkt. Ihnen zuzusehen, dem steten Wechsel zwischen majestätischem Gleiten auf dem Wasser und wohligen Verweilen in der Sonne, ließ selbst die nervöse Charlotte ruhiger werden. Das Leben von früh bis spät in der Natur tat ihnen allen gut. Bei dem nahe gelegenen

Kanuverleih liehen sie Boote aus, und fast täglich zogen sie ihre Bahnen über den Fluss, der sich mit seinen ständigen *cingles* vorbei an Felsen, Burgen, Wäldern und Wiesen durch die üppig grüne Natur schlängelte. Das Schwimmen im Fluss begeisterte Anton. Die starke Strömung trug einen in kürzester Zeit weit weg von der Einstiegsstelle, zu der man dann über den Kiesstrand wieder zurücklaufen musste. Emily und Paula fanden das nervig, er hingegen wurde nicht müde, zu sagen, dass das schließlich wie beim Rodeln sei, da müsse man auch den Berg immer wieder rauf laufen. „Das ist Sport, einfach großartig."

Der Tag des Umzugs auf den Hof der Brüder war gekommen, und Charlotte dachte mit schlechtem Gewissen, dass mehr Zeit am Fluss, mehr sich treiben lassen, schön gewesen wäre. Erwartungsgemäß maulten Anton und Emily, als sie ihre Sachen zusammenpacken sollten. Nur Paula sagte, sie sei gespannt auf den Hof, Emily hätte so viel von der *Résidence Rosalie* erzählt. Emily biss sich auf die Lippen und warf ihrer Freundin einen unfreundlichen Blick zu. Thomas und Charlotte schnappten nach Luft, ihre Tochter hatte viel vom Hof erzählt? Zu gern hätten sie sie für die gute Idee mit dem Namen gelobt – zudem noch ein so schöner –, aber Emilys finstere Miene verhieß nichts Gutes.

Sie parkten das Wohnmobil auf dem hinteren Plateau des Hofes, und bevor sie sich ans Auspacken und Einrichten machten, gingen sie alle zusammen los, um die Brüder zu begrüßen. Eine Idylle erwartete sie. Die Sonne tauchte das Gelände mit den honigfarbenen Häuschen in goldenes Licht, die Kastanie beschattete den Sitzplatz, ihre Blätter malten Muster auf die Steinplatten. Wilde Rosen und der üppig blühende Lavendel verströmten einen betörenden Duft. Eduard und Philippe saßen sich am Holztisch gegenüber und spielten *Tric Trac*. „Das ist so etwas wie Backgammon", sagte Thomas zu den Kindern, die neugierig beobachteten, wie die beiden die schwarzen und weißen Steine auf dem Holzbrett verschoben. Als Philippe gewonnen hatte, stieß Eduard ein „*putain*, verdammt, schon wieder" aus und verschwand im Haus, um Pastis und Saft zu holen. Leo kam schwanzwedelnd angelaufen, erwartungsfroh ließ er sich vor Emily nieder.

„Das ist *Coeur de Lion*", sagte sie stolz zu Paula, „Löwenherz." Anton rannte los, Richtung Scheune. „Ich schau mal nach den Hühnern", rief er im Weglaufen. „Und ob das alte Moped und das Auto noch da sind", sagte Thomas lachend, streckte seine langen Beine unter dem Tisch aus und schob die Hände unter die Oberschenkel.

„Komm Paula, ich führe dich ein bisschen herum." Leo spitzte die Ohren, und als Emily aufstand, erhob er sich und folgte den beiden Mädchen. „Ich werde gleich Pasta kochen, möchten Sie mit uns essen?" Charlotte wandte sich an Eduard und Philippe.

„*Pâtes*", sagte Philippe mit einer wegwerfenden Handbewegung, „bestimmt so lange dünne Dinger, die kein Mensch essen kann. „Wir haben tatsächlich nur Spaghetti", sagte Charlotte bedauernd.

„Das ist nichts für uns, hier gibt es heute Kalbsleber mit Salbei." Philippe klappte die Kiste mit den

Spielsteinen zu und schob sie von sich weg. „Aber Sie können ihr Essen hierher bringen, sich mit uns an den Tisch setzen", sagte Eduard und machte eine einladende Geste. Charlotte nickte.

Als sie wenig später mit dem dampfenden Topf Nudeln aus dem Wohnwagen trat, hörte sie die Stimmen der Mädchen: „Hier ist nichts los, du siehst, es ist ein Kaff." „Aber hier ist wenigstens immer tolles Wetter, in Hamburg dagegen ...", der Rest war nicht zu verstehen.

„Hallo, könnt ihr bitte die Teller mitbringen, und den Topf mit der Soße?", rief Charlotte und schlug den Weg über die Wiese zum Tisch ein. Eduard und Philippe hatten ihre Mahlzeit schon fast beendet, als sie mit dem Topf Nudeln ankam, es duftete intensiv nach Salbei. „Bon appétit", sagte Charlotte, die beiden nickten bedächtig. Eduard wischte mit einer Scheibe Brot durch den Teller, um die Reste der braunen Soße aufzufangen, schob sie sich dann mit geschlossenen Augen in den Mund. Philippe spießte das letzte Stückchen Leber auf die Gabel.

Charlotte hatte die Pasta Bolognese gefühlt hunderte Male zuvor zubereitet, aber noch nie hatte sie ihr so gut geschmeckt. Das Essen in der herrlichen Umgebung, im Rund der alten Gemäuer, im Schatten des großen Baumes, zu siebt um den langen Tisch herum, mit fröhlichem Besteck-Geklappere – geradezu paradiesisch.

„Fahrt ihr öfters nach Hamburg?", fragte sie Paula. Emily hob den Kopf und blickte ihre Mutter misstrauisch an, ihre Freundin nickte. „Habt ihr dort Verwandtschaft?" Wieder nickte Paula. „Unsere Großeltern leben in Hamburg. Wenigstens das." „Wenigstens das?" Charlotte sah sie fragend an, auch Thomas war nun aufmerksam geworden.

„Na ja, Freunde hat man nicht von jetzt auf gleich. Und so jemanden finde ich bestimmt nie wieder." Sie schaute betrübt zu Emily, deren Wangen sich zart rosa färbten und die den Kopf senkte. „Moment mal, du hast es deinen Eltern noch gar nicht erzählt." Paula ließ ihren Löffel mit den aufgewickelten Spaghetti sinken und schaute ihre Freundin an. Die schwieg.

„Mein Vater hat eine neue Arbeitsstelle, in Hamburg. Ende des Jahres ziehen wir dorthin. Meine Eltern sind jetzt in Hamburg und suchen ein Haus für uns."

„Und du wolltest nicht mit." Emily tippte sich mit dem Finger an die Stirn. „Wenigstens mit aussuchen, das hätte ich mir nicht entgehen lassen."

„Ich wollte die Zeit lieber mit dir verbringen", sagte Paula und stieß einen tiefen Seufzer aus. „Und sehen, wo du demnächst wohnst."

„Falls ich demnächst hier wohne." Emily machte eine bedeutungsvolle Pause. „Du hast leicht reden, du ziehst zu deinen Großeltern, ich müsste von meinen wegziehen. Und alle meine Freunde aufgeben." Das klang so traurig, dass es Charlotte ins Herz schnitt.

Die beiden alten Männer verstanden sicher nicht, um was es ging, aber offensichtlich spürten sie den Stimmungswechsel am Tisch. Philippe schaute zu Eduard, der erhob sich und ging ins Haus. Als er zurückkam, trug er zwei aufeinandergestapelte, quadratische weiße Pappschachteln und ein längliches Päckchen vor sich her, aufrecht, vorsichtig und geradezu feierlich. Behutsam stellte er die Schachteln auf den Tisch. „Das hier ist typisch für Frankreich." Er lächelte den Kindern zu und klappte eine Box auf. „*Eh voilà, Mesdames et Messieurs.*" Die Kinder beugten sich darüber, „oh" riefen Paula und Emily wie aus einem Mund, Anton stieß einen glücklichen Seufzer aus. Die Schachtel enthielt vier Mini-Törtchen, von denen eines appetitlicher aussah als das andere. „Das ist eine *Charlotte aux Framboises.*" Eduard zeigte schmunzelnd auf ein rundes Törtchen, auf dem Himbeeren kreisförmig angeordnet waren, ein Tupfer Sahne krönte die Mitte. Daneben stand ein schmales Schokoladenstückchen, das mit einer Kirsche und gehackten Pistazien verziert war. Auch die anderen beiden Törtchen waren ein wahrer Augenschmaus. Der zweite Karton enthielt vier weitere Köstlichkeiten. Eduard griff nach der länglichen Schachtel und öffnete sie. Kleine runde Taler in allen möglichen Bonbonfarben lagen in Reih und Glied darin.

„Oh wie schön die aussehen, kann man die wirklich essen?", fragte Emily zweifelnd.

„Kann man." Charlotte leckte sich über die Lippen. „Das sind *Macarons*, kleine Baisertaler aus Mandelmehl, die sind köstlich." Da ihr die Preise für französische *Patisserie* vertraut waren, fühlte sie sich ein wenig unbehaglich. Das hier musste ein Vermögen gekostet haben, und sie konnte sich nicht vorstellen, dass den Brüdern das Geld so locker saß. „*Merci*", sagte sie, „wir werden uns revanchieren." Sowohl

Eduard als auch Philippe schüttelten den Kopf, das sei eine große Freude für sie.

„Ich koche Kaffee." Thomas sprang auf und setzte mit großen Schritten über die Wiese.

16

Die Kinder wurden den Rest des Nachmittags nicht mehr gesehen. Anton war bei den Hühnern, Emily und Paula streiften mit Leo über das Gelände. Als alle sich zum Abendessen am Campingtisch vor dem Wohnmobil trafen, sagte Emily: „Wir werden Leo Kunststücke beibringen. Dafür brauchen wir Leckerlis." Leo saß zwischen den beiden, klopfte mit dem Schwanz auf den Boden und sah die Mädchen erwartungsvoll an. „Dürfen die das?", fragte Anton. Thomas runzelte die Stirn, Charlotte nickte und sagte: „Hunde mögen das, sie wollen gefordert werden." Emily und Paula klatschten sich ab. Anton begann von den Törtchen zu schwärmen: „So etwas Leckeres habe ich noch nie gegessen, die sollt ihr auch mal kaufen." Charlotte zwinkerte Thomas zu und sagte: „Kommt auf die Einkaufsliste, Leckerlis für Leo und für Anton."

Nach dem Abendessen machten Charlotte und Thomas es sich auf ihren Campingstühlen gemütlich. Inzwischen hatte es ein wenig abgekühlt, ein leichter Wind war aufgekommen, aber es war noch viel zu warm zum Schlafen. Die Mädels steckten in einiger Entfernung die Köpfe zusammen und kicherten, sie hatten verkündet, einen Trainingsplan für Leo zu erstellen. Anton war wahrscheinlich wieder bei den Hühnern oder er trieb sich in der Scheune herum, bei den alten Schätzchen. Von 'geilen Teilen' zu sprechen, hatten sie ihm untersagt. „Dieses unbeschwerte Draußensein", sagte Charlotte und holte tief Luft, „das tut so gut."

Plötzlich sahen sie Emily und Paula kommen, gefolgt von Leo. Paula blieb stehen, Emily kam näher. Leo stutzte kurz, dann trottete er hinter ihr her und ließ sich auf dem Boden nieder, die Pfoten übereinander gelegt. Mit gespitzten Ohren sah er zu, wie Emily sich vor Charlotte aufpflanzte: „Mama!"

Charlotte war auf dem Campingstuhl ein wenig eingesunken und richtete sich auf, so gut es eben auf dem wackligen Stuhl möglich war. „Ja, mein Schatz?"

„Wenn wir hierher ziehen, dann will ich in so einem Teil wohnen. Nur wenn ich in so einem Teil wohnen kann, dann komme ich mit." Emily stemmte mit einem Ruck die Hände in die Hüften.

Thomas hatte sich auch aufgerichtet und sah seine Tochter fragend an. Die verschränkte nun die Arme und bekräftigte: „Nur dann."

„Moment mal Frollein, du diktierst hier nicht die Bedingungen", sagte Thomas ärgerlich. Charlotte wedelte mit der Hand Richtung Thomas, lass mal, sollte das heißen. „Du meinst so einen Bauwagen, nicht wahr? Wie ich sie euch in Deutschland gezeigt habe. Das ist kein Problem, das bekommen wir hin."

„Ich meine einen Eisenbahnwaggon, so einen wie auf dem Foto. Mit vielen Fenstern und einer überdachten Veranda. Den findet Paula auch super." Emily drehte sich zu Paula um, die die Szene aus sicherer Entfernung beobachtete.

„Das ist schön, Mäuschen, dass er dir auch gefällt", sagte Charlotte erfreut. „Ja, so etwas wäre ein Traum."

„Ja, wäre", murmelte Thomas. Charlotte warf ihm einen warnenden Blick zu.

„Paula, ich bekomme so einen." Emily winkte ihrer Freundin zu. „Können wir noch mal das Foto sehen, Mama, bitte?"

„Das muss ich erst suchen." Charlotte erhob sich aus dem Campingstuhl. Emily nickte. „Der Wagen bekommt dann auch einen Namen, wir haben übrigens die beiden Häuser *la petite Rosalie* und *la grande Rosalie* getauft." Sie kicherte fröhlich und lief zurück zu Paula. Ließ ihre Eltern reichlich verdattert zurück.

„Na dann viel Spaß beim Suchen, Charlotte", sagte Thomas trocken, „und ich meine nicht das Foto." Er stand auf und begann herumzulaufen. „Findest du das in Ordnung, dass unsere Tochter uns erpresst?"

„Ach, erpresst", sagte Charlotte leichthin, „was für ein großes Wort. Du wolltest doch, dass sie zustimmt, und das hat sie gerade getan."

„Wo um Himmels willen willst du denn so einen Eisenbahnwaggon hier in der Nähe auftreiben? Und wie stellst du dir das eigentlich vor, wir hocken zu dritt im Campingmobil und Töchterchen bekommt eine extra Behausung für sich?"

„Das sehen wir dann. Ach, das wird schon, lass mich mal machen." Charlotte war auf einmal so leicht ums Herz, nun wusste sie, wer in der Mappe mit den Bauwagen-Fotos geblättert hatte. Die bohrenden Gedanken im Hintergrund, dass sie wirklich keine Ahnung hatte, wo sie so ein Teil auftreiben sollte, schob sie einfach weg. Die Unterzeichnung des Vertrags konnte kommen. Und sie würden ihn nun leichten Herzens unterschreiben. Übermorgen würde es so weit sein. Sie hatte beschlossen, für diesen feierlichen Anlass ausnahmsweise auf ihre geliebten Latzhosen zu verzichten und sich etwas Nettes anzuziehen, sie würden Fotos machen und an die Eltern schicken. Allerdings wurde es jeden Tag ein paar Grad wärmer und Charlotte fragte sich, ob das einzige Kleid, das sie eingepackt hatte – genau genommen war es das einzige, das sie besaß – nicht zu warm sein würde.

Als Thomas und sie am nächsten Vormittag über die Wiese zu den Brüdern liefen, um ihren morgendlichen Pastis einzunehmen, sahen sie Gabriels Oldtimer im Hof stehen und beschleunigten erfreut ihre Schritte. Beim Näherkommen hörten sie die Brüder und ihren Gast erregt diskutieren, schnappten aber nur Gesprächsfetzen auf. „Warum habt ihr nicht ...", „er ist schuld ...", und ein kräftiges, mehrmals wiederholtes „*putain*, verdammt" von Eduard. Es hörte sich nach einem handfesten Streit an, und sie blieben zögernd stehen. Philippe hatte sie entdeckt und winkte sie, heftig mit der Hand wedelnd, herbei, er rief: „*Merde alors*, es gibt Neuigkeiten."

Gabriel stand auf und man tauschte die üblichen bises aus. Nervös nahmen Charlotte und Thomas den Brüdern gegenüber Platz. Gabriel saß vor Kopf, er krempelte die Ärmel seines mintfarbenen Oberhemds hoch, legte die Arme vorsichtig auf den rauen Holztisch, holte tief Luft und sagte: „Wir wissen, wie gerne Sie diesen Hof kaufen möchten. Und Eduard und Philippe würden Ihnen auch gerne ihr Zuhause anvertrauen. Aber wir kennen Ihre Pläne, leider, muss man sagen." Charlotte räusperte sich nervös. Diese Franzosen, konnten die nicht einfach mal direkt zur Sache kommen? Und was bedeutete, wir kennen leider ihre Pläne?

Gabriel hob bedauernd die Hände. „Aber ich habe keine guten Nachrichten. Es gibt leider doch keinen mastfreien Kreis mehr um den Hof. Die Nachbarn haben vor längerer Zeit Düngemittelrechte für das Land beantragt und auch erhalten. Deshalb darf man in dem unteren Teil des Grundstücks nicht bauen, genau genommen gar nicht leben, da, wo Sie ihr Häuschen hinsetzen wollen. Ich hatte ihnen ja gesagt, dass das Mastrecht eine entscheidende Rolle spielt." Er zuckte bedauernd mit den Schultern.

„Aber der Bürgermeister hatte doch gesagt, es wäre alles in Ordnung?" Charlotte und Thomas beugten sich gleichzeitig vor. Gabriel verschränkte die Arme, entknotete sie wieder, legte sie auf den Tisch, schüttelte den Kopf. „Er hat leider versäumt, das noch mal vor Ort, im Provinzamt, zu prüfen. Die Nachbarn hätten das Mastrecht gar nicht beantragen dürfen, aber seinerzeit hat niemand Einspruch erhoben." Er schaute zu den Brüdern, Eduard starrte vor sich auf den Tisch, die Daumen unter die stramm gespannten Hosenträger geklemmt, Philippe zuckte unablässig mit den Schultern.

„Und da es keinen Einspruch gab, wurde der mastfreie Kreis von der Provinzkarte gestrichen", schloss Gabriel seinen Bericht. „Und jetzt?", fragte Charlotte tonlos.

„Man könnte mit den Nachbarn reden." Gabriel ließ seinen Blick zwischen Eduard und Philippe hin und her wandern. „Die wohnen gar nicht mehr hier, *c'est bête*, dumm gelaufen." Eduard ließ die Hosenträger knallen. „Und wir haben keinen Kontakt." „Und gut war der Kontakt nie", ergänzte sein Bruder mit düsterer Miene.

„Ja, wenn die sich stur stellen, wird das schwierig." Gabriel nickte. „Der Kampf durch das französische Rechtssystem kann Jahre dauern."

„Jahre?", rief Charlotte entgeistert.

„Vielleicht sollten Sie überlegen, im vorderen Teil ihr Häuschen zu bauen? Oder nur ein Haus zu vermieten und in dem anderen zu leben?" Thomas nickte und griff nach seinen Ohrläppchen, Charlotte schüttelte so energisch den Kopf, dass ihr Pferdeschwanz hin und her schwang.

Gabriel klatschte in die Hände. „*Mes amis*, es hilft nichts. Sie sagen den Termin für den Kaufvertrag ab", er schaute zu Thomas. „Und ihr denkt nach, ob ihr nicht doch eine Adresse habt." Er sah die Brüder streng an, Eduard ließ erneut die Hosenträger knallen und schüttelte den Kopf, Philippe stützte sich schwer auf seinen Stock.

„*Eh bien*, ich höre mich um, und vielleicht brauchen wir auch das schlaue Maschinchen", Gabriel deutete auf Charlottes Handy. „Freuen wir uns, dass Sie es nicht erst beim Notartermin erfahren haben, es ist immer gut, Beziehungen überall hin zu haben. Und jetzt brauchen wir alle einen Pastis."

17

„Es gibt nur eine Möglichkeit, wir müssen doch im vorderen Teil bauen", sagte Thomas, als sie nach mehreren Pastis zu ihrem Wohnmobil zurückgingen. Charlotte blieb abrupt stehen und schüttelte den Kopf. „Ausgeschlossen, da sitzt man sich viel zu sehr auf der Pelle. Und Wohnmobil und Bauwagen will ich dort auch nicht abstellen." Sie seufzte. „Es ist zu eng."

„Genau genommen dürfen wir aber im hinteren Teil des Grundstücks gar nicht wohnen", sagte Thomas. „Ach", Charlotte wedelte mit der Hand, „wo kein Kläger, da kein Richter. Die Nachbarn sind doch weggezogen, das bekommt niemand mit."

„Lotte, niemals würde ich ohne offizielle Erlaubnis auf dem hinteren Teil des Grundstücks bauen", sagte Thomas. „Niemals. Und ich möchte auch nicht ewig provisorisch hausen.""Provisorisch hausen", Charlotte schnaubte verächtlich. „So ein Quatsch."

„Tja, so wie es aussieht, müssen wir uns von diesem Anwesen verabschieden." Thomas zuckte mit den Schultern. „Abwarten", murmelte Charlotte und schob ihre Hände in die Taschen ihrer Latzhose.

Als sie den Kindern abends so beiläufig wie möglich erzählten, dass der Termin für die Vertragsunterzeichnung verschoben worden war, ließ Emily nicht locker. „Ich habe euch vorhin streiten hören, was ist los?"

„Es ist kompliziert", sagte Thomas. „Und was ist kompliziert?" Emily beugte sich zu ihrem Vater und schaute ihn eindringlich an.

„Ziehen wir dann doch nicht nach Frankreich?", fragte Anton mit großen Augen. „Doch", sagte Thomas, „wahrscheinlich schon, aber es kann sein, dass wir nach einem anderen Grundstück suchen müssen."

Nie im Leben hätten die Erwachsenen mit diesem Sturm der Entrüstung gerechnet, der nun losbrach. Hier, nur hier wollten sie leben, riefen beide Kinder empört. „Wenn es schon unbedingt Frankreich sein muss", sagte Emily nachdrücklich, „dann nur in der *Résidence Rosalie.*"

„Aber einen Wohnwagen und einen Bauwagen kann man überall hinstellen", sagte Charlotte etwas verwundert.

„Eisenbahnwaggon", verbesserte Emily ihre Mutter. Dann sagte sie nachdrücklich: „Hier lebt Löwenherz."

„Und die coolen Hühner, und die großartigen Schätzchen in der Scheune. Und Eduard und Philippe sind so nett", krähte Anton. Thomas schluckte, auch Charlotte musste ihre Rührung unterdrücken.

Später wälzten die Erwachsenen bei einem Spaziergang erneut alle Möglichkeiten hin und her. Was wäre, wenn sie ihre private Bleibe an einem anderen Ort planten? Nein, dafür gab es kein Budget. Und was machten sie dann mit dem hinteren Teil des Grundstücks, den sie schließlich mit erwerben müssten? Vielleicht ließen die Brüder sich darauf ein, nur den vorderen Teil zu verkaufen? Unwahrscheinlich. Und es bliebe das Problem, dass sie privaten Wohnraum benötigten, den Charlotte keinesfalls dort planen wollte. Irgendwann sagte Charlotte völlig erschöpft:

„Mir schwirrt der Kopf. Es klappt ja vielleicht noch, was wollen die Nachbarn mit Mastrechten hier.“

„Die Nachbarn muss man erst mal finden“, sagte Thomas. „Fakt ist, so können wir den Kaufvertrag nicht unterschreiben – es sei denn, du freundest dich doch mit Wohnen im vorderen Teil an.“

„Vergiss es“, sagte Charlotte. „Das ist meine Frau, die Sturheit in Person.“ Thomas nickte grimmig.

Sie mühten sich nach Kräften, die verbleibenden Urlaubstage schön zu gestalten, besuchten erneut Lascaux mit den prähistorischen Höhlenmalereien, besichtigten Burgen, Schlösser und Gärten, ließen sich über kleine bunte Märkte treiben und schwammen in der Dordogne. Aber der Schwebezustand begleitete sie überall hin und drückte aufs Gemüt. Ursprünglich hatten sie vorgehabt, die Suche nach Alternativen zu forcieren; einige Male schauten sie sich tatsächlich von Maklern vorgeschlagene Gehöfte und Häuser an, aber sie fühlten sich wie blockiert. Nichts konnte wirklich ihr Herz erreichen, *la grande* und *la petite Rosalie* standen ihnen stets vor Augen, und sie begriffen, dass sie sich in Geduld üben mussten. Sollte es kein positives Ende für die *Résidence Rosalie* geben, dann würden sie noch einmal ganz von vorne beginnen mit der Suche – oder sogar mit ihren Überlegungen insgesamt.

Emily hatte sich blitzschnell mit der neuen Situation abgefunden und wirkte geradezu erleichtert, summte beständig vor sich hin, sie schien davon auszugehen, dass das Projekt Auswandern insgesamt vom Tisch war. Auch Anton, der sich in manchen Dingen stark an seiner Schwester orientierte, war vergnügt – ihm schien es gleich, ob nun dieses oder jenes eintreffen würde.

„Vielleicht sollten wir das als Zeichen nehmen und den Plan insgesamt aufgeben", sagte Thomas abends zu Charlotte, nachdem sie wieder einmal einen zum Verkauf stehenden Hof angeschaut hatten. Da hatten zwar Preis und Größe gestimmt, aber, „es springt kein Funke über", hatte Charlotte gesagt. „Es fühlt sich nicht nach einem Zuhause an." Da waren sie sich einig. Aber Charlotte war keineswegs bereit, die Hoffnung auf die *Résidence Rosalie* aufzugeben oder das Projekt Auswandern komplett infrage zu stellen.

Als sie ein paar Tage vor der Abreise nachmittags vom Schwimmen zurückkamen, stand Gabriels alter Citroën auf dem Hof. Thomas und Charlotte schauten sich an und rannten los, gefolgt von den Kindern. Die drei alten Männer saßen um den Tisch, die Gläser wie stets mit der milchigen, nach Anis duftenden, Flüssigkeit gefüllt. Sie schauten ihnen entgegen, ihre Mienen ließen auf nichts schließen. Aber als sie atemlos vor ihnen standen, beugte sich Gabriel hinunter und zog eine Flasche Champagner unter dem Tisch hervor.

„*Tout va bien*", sagte er triumphierend und hielt die Flasche in die Höhe, „es ist alles geregelt, wir können feiern." Erst jetzt sahen sie, dass an einer Ecke des langen Tischs ein Tablett mit fünf Sektgläsern und drei kleinen Wassergläsern stand. „Der Champagner war für die Vertragsunterzeichnung bestimmt, aber jetzt ist Zeit zum Feiern", sagte Gabriel und ließ den Korken knallen.

Thomas' Hand zuckte zum Ohr, die Kinder schauten irritiert zwischen den Erwachsenen hin und her, Charlotte stöhnte. „Meine Nerven." Sie ließ sich auf einen Stuhl sinken.

„Was ist passiert?", fragte Thomas. „Egal, Hauptsache, es klappt!", rief Charlotte, griff nach seiner Hand und zerquetschte sie fast. „Mehr Aufregung kann ich aber nicht mehr brauchen." Sie stieß einen tiefen Seufzer aus. „Jetzt müssen wir schnell den Termin für die Vertragsunterzeichnung vereinbaren, wir schaffen es doch noch vor unserer Abreise, zu unterschreiben?"

„Ein paar Nerven werden Sie schon noch brauchen", sagte Gabriel und lachte. „Und Geduld. Wir haben zwar nun die Zusage der Nachbarn, auf die Mastrechte zu verzichten, aber es muss noch den Behördenweg nehmen. Das dauert."

Jetzt war es an Thomas, einen Seufzer auszustoßen, Charlotte schlug die Hände vors Gesicht. Schon wieder warten. Leo kam angetrabt, stupste Emily am Bein, als sie ihn nicht beachtete, legte er sich auf den Boden, die rechte Pfote über die linke gelegt und schnaufte. Er konnte warten.

„Ihr könnt den Vertrag noch nicht unterschreiben?", fragte Emily.

„Momentan noch nicht, aber es ist jetzt alles geklärt", sagte Gabriel und Eduard ergänzte: „Es ist nur noch eine Frage der Zeit. Wir werden Nachbarn." Philippe stieß seinen Stock in den Boden, dann rief er: „Schaut mal her." Als er sich der Aufmerksamkeit aller sicher sein konnte, wackelte er erst mit dem linken, dann mit dem rechten Ohr. Er lächelte und sagte: „Das soll heißen, ich freue mich auch." „Großartig." Anton sah ihn bewundernd an. Philippe deutete mit zwei Fingern auf sich, dann auf Anton und berührte anschließend mit den Zeigefingern seine Ohren. „Er kann es mir beibringen?" Anton schaute zu seinem Vater, der nickte. Antons Gesicht leuchtete auf, auch Philippe strahlte, soeben hatten sich Freunde fürs Leben gefunden.

„Wir haben uns alles zu Beginn etwas einfacher vorgestellt", sagte Thomas und klopfte dem alten Architekten anerkennend auf die Schulter.

Anton schien rundum glücklich. Charlotte schaute vorsichtig zu Emily. Die wechselte einen Blick mit Paula, dann beugte sich Emily zu Leo und flüsterte ihm etwas ins Ohr, er wedelte mit dem Schwanz. Es wurde ein feuchtfröhlicher Nachmittag, auch Emily und Paula bekamen ein Schlückchen Champagner, sogar Anton. Thomas hatte zweifelnd geblickt, als Gabriel die Gläser füllte – „feiern, bevor wir den Vertrag unterschrieben haben?"

„*Mais bien sûr*, aber natürlich", riefen die drei Männer im Chor. „Ach ihr Deutschen, ihr nehmt alles so genau. Jetzt ist Feiern angesagt. *Santé!*" Eduard stieß Thomas leicht mit dem Ellenbogen in die Seite. „*J'ai besoin d'une clope, toi aussi?*" Thomas schüttelte den Kopf, nein, mit dem Rauchen würde er nicht anfangen.

Klirrend stießen die Gläser aneinander, die Stimmung wurde immer ausgelassener; die Kinder fütterten den begeisterten Leo unter dem Tisch mit Keksen, und die Erwachsenen ließen sie gewähren. Nur als Anton einen Schluck Champagner auf ein Untertellerchen goss und Leo das Pfützchen unter die Nase hielt – und der sich anschickte, das aufzuschlecken –, schritten die Eltern im letzten Moment ein.

„Was für ein Ende einer Dienstfahrt", sagte Charlotte am Abend zu Thomas und ließ sich aufs Bett sinken, beschwipst, erschöpft, glücklich. „Erholung sieht anders aus", sagte Thomas. Aber dann lachte er und zeigte auf sein T-Shirt, das heute mal wieder die Aufschrift trug *Vive la France*.

18

Deutschland lag im August unter einer Hitzeglocke, die Menschen ächzten unter der drückenden Schwüle, und niemand war traurig, als es zum Monatsende hin abkühlte, sogar die Schulkinder nicht, für die nun wieder der Unterricht losging. Und es kam Antons großer Tag, seine Einschulung. Zu siebt – die Kölner Großeltern Richard und Regine waren ebenso erschienen wie Oma Hannelore – feierten sie das große Ereignis.

Anton weigerte sich beharrlich, seine Schultüte in den Arm zu legen, selbst für Fotos. Er bestand darauf, sie mit zwei Händen wie ein Schild vor sich herzutragen – man könne sonst das tolle Design nicht sehen, behauptete er. Auch Opa Richard, der sie ihm so in den Arm legte, dass man bestmöglich alles erkennen konnte, konnte ihn nicht überzeugen. Die schwarz-weiße Stofftüte war bedruckt wie ein Fußball, nur im Mittelteil gab es eine breite dunkelgrüne Banderole, auf der in hellgrün 'Anton' stand, darunter war vorne und hinten ein Fußball abgebildet. Dazu hatte er sich den passenden Schulranzen gewünscht. Charlotte war beim Anblick der Preise blass geworden. Aber glücklicherweise hatte ihre Mutter den Schulranzen finanziert und Opa Richard und Oma Regine die Schultüte, so dass sie nur die Kleinigkeiten für den Inhalt besorgen musste.

Als sie nachmittags bei Kaffee und Kuchen zusammensaßen, griff Hannelore über den Tisch und zog die (inzwischen geleerte) Schultüte näher zu sich heran. „Verarbeitet ist sie gut", sagte sie, nachdem sie die Tüte innen und außen ausgiebig betrachtet und befühlt hatte. „Aber wenn ich an unsere einfachen Tüten früher denke, das hat doch auch gereicht – unglaublich, was heutzutage für ein Wirbel gemacht wird." Sie schüttelte missbilligend den Kopf. „Du hast Glück, dass du noch hier eingeschult wirst, Anton. In Frankreich gibt es keine Schultüten. Da wird nicht so ein Trara gemacht. Das französische Schulsystem ist viel strenger als das deutsche, da herrscht ein ganz anderer Ton."

„Mama!", Charlotte warf ihrer Mutter einen bösen Blick zu, Regine und Richard schauten pikiert. Anton schien die letzte Bemerkung seiner Oma nicht gehört zu haben, er beschäftigte sich intensiv mit dem Zubehör für seinen Rucksack, kleinen runden, reflektierenden Kletties, auf denen ein Ball abgebildet war, kickende Spieler und ein Pokal. Nachdem er sie nach einigem Hin und Her, schweigend beobachtet von allen, auf dem Rucksack verteilt hatte, blickte er auf und sagte: „Auf jeden Fall haben die Franzosen die schönsten Fußballtrikots. *Allez les bleus*!" Alle lachten, und Thomas wuschelte seinem Sohn liebevoll durchs Haar. „Und weißt du auch, was das bedeutet, das *allez*?", fragte Hannelore. Anton zuckte mit den Schultern. „Man sollte das letzte bisschen Kraft aus sich rausholen, um zu gewinnen." „Merke ich mir, Oma."

Während Thomas abends über Bauplänen und Statikzeichnungen brütete, saß Charlotte vor dem Rechner und suchte nach Eisenbahnwaggons. Simple Bauwagen zu finden war überhaupt kein Problem, aber ein wirklich schöner Eisenbahnwaggon war ihr bisher noch nicht begegnet. Zwar wurden reichlich ausgemusterte Bahnfahrzeuge angeboten, aber die meisten waren viel zu modern für ihren Geschmack. Und Emily brauchte sie damit gar nicht zu kommen. Außerdem musste ein möglicher Kandidat sich natürlich im Umkreis ihres zukünftigen Domizils befinden. Schließlich musste der Waggon noch per Tieflader oder Kran auf ihr Grundstück befördert werden, ein kompliziertes und wahrscheinlich kostspieliges Unterfangen. Gabriel hatte versprochen, sie dabei zu unterstützen. „*Pas de problème*, das bekommen wir hin, mein Netzwerk ist riesig", hatte er gesagt, „ich kenne Menschen aller *métiers*." Der Mann war einfach Gold wert.

Nachdem sie viele Abende erfolglos vor dem Rechner verbracht hatte, holte Charlotte Emily hinzu und erklärte ihr die Schwierigkeiten der Suche, des Transports und zeigte ihr zahlreiche Bilder im Netz. Abschließend sagte sie: „Sollte ich bis zum Umzug nichts Passendes gefunden haben, kannst du entscheiden, entweder wir nehmen einen Bauwagen und richten den wunderschön her – schau mal, so könnte das aussehen, ist doch auch hübsch – oder du wohnst zunächst einmal mit uns im Wohnmobil, und ich suche weiter."

Emily hörte sich die Nöte ihrer Mutter mit verschränkten Armen ungerührt an und sagte knapp: „Weitersuchen, du hast den Eisenbahnwaggon versprochen." „Du machst es mir nicht gerade leicht", sagte Charlotte und seufzte. „Man wächst mit seinen Aufgaben", war Emilys Antwort. Als Charlotte später Thomas davon erzählte, zuckte er nur mit den

Schultern und sagte: „Tja, die Suppe hast du dir selbst eingebrockt." „Ich finde einen", stieß Charlotte trotzig hervor, „früher oder später." „Wir könnten es so viel einfacher haben, Lotte, wenn wir in das kleine Häuschen einziehen würden." „Du sagtest es bereits, mehrmals. Ich schaffe das. Wenn es nur endlich losginge."

Wieder mussten sie sich gedulden, beschäftigten sich mit Ideen und Plänen, erstellten endlose To-do-Listen. Charlotte hatte begonnen, auszumisten, eine Tätigkeit, die sie einesteils vor schwierige Entscheidungen stellte, andererseits mit tiefer Zufriedenheit erfüllte. Kisten mit Dingen zum Verschenken füllten sich mit rasender Geschwindigkeit, ebenso Kisten mit kaputtem, nutzlosen Zeug. Wenn sie durch ihr Häuschen lief und Gegenstände einsammelte, hörte sie ab und an Thomas seufzen, manchmal sogar fluchen, wenn er über Kalkulationen brütete; aber wenn sie ihn darauf ansprach, wehrte er immer ab und sagte: „Das wird schon, wir bekommen das hin." Wenigstens zweifelte er nicht, auch wenn sie sich deutlich mehr Begeisterung seinerseits gewünscht hätte und viel mehr gemeinsame Zeit zum Planen und Träumen. Nicht zuletzt, um ihre mulmigen Gefühle wegzudrücken, die immer mal wieder durchblitzten.

Ihr jüngster Zweifelsausbruch hatte sie beim Bäcker erwischt. Sie hatte vor der Theke gestanden, die Auslagen mit den unglaublich vielen verschiedenen Brotsorten und die unterschiedlichen Gerüche auf sich wirken lassen. Nirgendwo auf der Welt gab es so viele Brotsorten wie in Deutschland. Vor allem die dunklen Brotsorten würde sie vermissen. Und ein Wochenend-Frühstück ohne knusprige Brötchen war eigentlich nicht vorstellbar.

Als sie heim radelte, fiel ihr ein, wie sie stets von französischem Baguette geschwärmt hatte. Du musst aufhören, ständig zu vergleichen, Charlotte – und vor allem, dich immer wieder zu fragen, ob das Leben in Frankreich besser sein würde. Wer sagte denn, dass es besser sein müsste! Es würde nicht besser oder schlechter sein, es würde anders sein! Der Gedanke breitete sich in ihr aus und wärmte sie wohlig. Als sie zu Hause vom Rad stieg, merkte sie, dass der Druck in ihrem Inneren nachgelassen hatte.

Abends rief sie ihre Freundin Luisa an. Sie hatten sich in der letzten Zeit kaum gesehen und selten telefoniert, obwohl sie sich geschworen hatten, sich nicht aus den Augen zu verlieren. Charlotte sprudelte los, erzählte von ihrer Erkenntnis, dass es vielleicht nicht besser, aber auf jeden Fall anders werden würde in ihrer neuen Heimat. Als Luisa schwieg, fügte sie triumphierend hinzu, dass der Neuanfang ebenso bedeuten würde, dass sie dann ihr eigentliches Ich sein könnte, weil sie dort keiner kennen würde. Als immer noch keine Reaktion von Luisa kam, sagte sie: „Man kann sein Ich doch leichter ausleben an einem Ort, an dem nichts vom angeblichen Ich jemals existiert hat. Habe ich mal gelesen", schob sie nach.

„Hä? Also ich bin mit deinem bisherigen Ich gut klargekommen", sagte Luisa trocken. „Was für ein seltsamer Gedanke, Lotte. Du zweifelst doch nicht etwa?" Charlotte hielt es für angebracht, das Thema zu wechseln.

19

Ende Oktober gab es endlich grünes Licht, der Termin für die Vertragsunterzeichnung stand. Regine und Richard kamen für zwei Nächte, um die Kinder zu hüten (Emily fand diesen Ausdruck unmöglich). Thomas und Charlotte buchten einen günstigen Flug über Amsterdam nach Bergerac und mieteten dort ein Auto. Für die Fahrt entlang der Dordogne nahmen sie sich viel Zeit, ab und hielten sie an und stiegen aus. Es roch schon unverkennbar nach Herbst – nach Pilzen, meinte Thomas, nach feuchtem Moos, fand Charlotte. Nach dieser ganz besonderen Luft –, da waren sich beide einig. Sanfte Sonnenstrahlen tauchten die teilweise schon bunten Blätter der Bäume in ein goldenes Licht. Im Wasser spiegelten sich die Äste der tief hängenden Weiden. *Gabarres*, die nach alten Vorbildern gebauten romantischen Boote, glitten mit winkenden Touristen an Bord über den Fluss, die letzten Fahrten, bevor sie zur Winterruhe am Ufer festmachten.

Am Tag der Vertragsunterzeichnung war es ungewöhnlich warm. Als sie vor dem Notarbüro ankamen, war Charlottes Pullover schon durchgeschwitzt. Thomas hatte sogar seine obligatorische Mütze, die er sommers wie winters so gut wie immer trug, im Hotelzimmer liegen gelassen. „Hoffentlich bringt das kein Unglück", sagte Charlotte und wiegte den Kopf.

Aber alles lief glatt. Eduard und Philippe warteten vor dem Besprechungsraum auf sie. Sie trugen dunkelblaue Hosen mit messerscharfen Bügelfalten und weiße Hemden, die aussahen, als hätten sie erstmals die Plastikpackung verlassen; sie schauten ihnen mit feierlicher Miene entgegen.

Der Notar, ein Mann mittleren Alters mit markanter schwarzer Brille, thronte auf einem Armlehnenstuhl hinter einem wuchtigen ovalen Eichentisch. Rechts vor ihm lagen die mit unzähligen Stempeln versehenen Unterlagen, die nachwiesen, dass die Nachbarn auf das Mastrecht verzichtet hatten, links vor ihm ein dicker Stapel, der viele Seiten umfassende *Compromis de Vente*, der Kaufvertrag. Vier Eichenstühle ohne Armlehne, die Sitzflächen bespannt mit grün-weiß gemustertem Brokat, standen nebeneinander vor dem Tisch. Der Notar eröffnete die Sitzung, indem er jedem Anwesenden bedächtig zunickte, dann ging er den Vertrag mit ihnen durch, Blatt für Blatt, Seite für Seite. Während der ganzen Veranstaltung, die gut zwei Stunden dauerte, saß Eduard aufrecht und ohne sich ein einziges Mal anzulehnen auf seinem Stuhl. Philippe hatte offensichtlich Mühe, die langwierige Prozedur durchzustehen und rutschte unruhig auf seinem Stuhl hin und her. Charlotte wischte sich zwischendurch öfters verstohlen die schweißnassen Hände an einem Taschentuch ab. Thomas fasste sich ab und zu an den Kopf, als könne er nicht glauben, dass ihm trotz fehlender Kopfbedeckung so heiß war. Nachdem Käufer und Verkäufer auf jeder der rund fünfzig Seiten ihr Kürzel für die Zustimmung gesetzt hatten, war es besiegelt. Es war Punkt zwölf Uhr. *La Résidence Rosalie* gehörte Thomas und Charlotte! Als Käufer hatten sie den Kaufbetrag im Voraus überwiesen. Für die

Verkäufer füllte der Notar vor ihren Augen mit einem Füllfederhalter und wichtiger Miene drei Schecks aus, dann schob er die dünnen Zettel quer über den Tisch. Eduard griff nach allen dreien und stopfte sie sich in die Brusttasche, gerade so, als wären es Zehner. „Willkommen in Frankreich", sagte Thomas zu Charlotte und drückte ihre Hand. Sie erwiderte den Druck, ihr Lächeln ließ Fältchen um die Augen entstehen. „*Savoir-vivre* in Frankreich", sagte sie und seufzte glücklich.

Nach einem gemeinsamen Essen – die Brüder hatten darauf bestanden, sie einzuladen – fuhren Thomas und Charlotte zu ihrem neuen Besitz. Voller Andacht, fast ehrfurchtsvoll, setzten sie ihre Schritte auf ihren Grund und Boden, mit klopfendem Herzen betraten sie die Häuser und die Scheune, umfassten jedes Detail mit liebevollem Blick, tasteten mit den Fingern über Bruchsteinwände, Fliesen und glatt geschliffenes Holz. Schweigend, gleichsam verzaubert, durchmaßen sie das Gelände. Im sanften Nachmittagslicht und der lauen Luft fühlte sich die Zeit wie angehalten an.

Eduard und Philippe hatten bereits einige ihrer Möbel abholen lassen. Sie hatten gefragt, ob sie noch Dinge brauchen könnten. So fanden sie in dem winzigen Häuschen, in dem die Brüder gelebt hatten, noch in Plastik verpackte Tischdecken und Bettlaken vor. Charlotte öffnete die Plastikbeutel und schnupperte vorsichtig daran – vielleicht ließe sich damit noch etwas anfangen. In der Scheune stand der alte Citroën DS, (die Brüder hatten um vorläufiges Asyl für die Göttin gebeten), und auf besonderen Wunsch

Antons das alte Moped und der uralte Rasenmäher. Außerdem jede Menge Gerümpel, aber auch allerhand Kleinzeug, das sich vielleicht noch verwerten ließ.

In dem größeren Häuschen, *la grande Rosalie*, in dem der Neffe mit Abbrucharbeiten begonnen hatte, schauten sie sich noch ein wenig länger um, obwohl inzwischen die Zeit drängte, sie mussten zum Flughafen. Thomas prüfte mit einem herumliegenden Meißel, ob sich die Fliesen gut von der Wand abschlagen ließen – „kein Problem", sagte er und blies Staub von den Fingern. Charlotte ging in den angrenzenden Wohnraum und betrachtete den Holzboden, die Dielen waren von einer dicken öligen Farbschicht bedeckt. Sie rieb sich die Hände. „Die Böden lege ich frei, hier und im oberen Stockwerk, darauf freue ich mich schon."

„Puh, das wäre geschafft", sagte Charlotte, als sie in den Mietwagen stiegen und sich zum Abschied noch einmal umdrehten, um ihr neues Zuhause mit einem liebevollen Blick zu umfangen. „Jetzt können wir loslegen, alle Hürden sind genommen." Thomas nickte – aber gerade er hätte es doch besser wissen müssen.

20

Nachdem im Sommer absehbar gewesen war, dass sie den Kaufvertrag für die *Résidence Rosalie* demnächst unterschreiben würden, hatten Charlotte und Thomas sich darauf verständigt, ihre Chefs zu informieren und anzukündigen, dass sie in naher Zukunft aus ihren Arbeitsverträgen aussteigen wollten. Charlotte hatte eine befreundete Physiotherapeutin gefragt, ob sie sich vorstellen könnte, ihre Nachfolge anzutreten. Die Freundin und Charlottes Vorgesetzte waren sich schnell einig gewesen. Und nun war es tatsächlich so weit.

„Bald sind wir unsere eigenen Chefs." Charlotte kniff Thomas vergnügt in den Arm, als sie sich am Morgen nach ihrer Rückkehr aus Frankreich im Hausflur verabschiedeten. „Heute Abend können wir genaue Zeitpläne machen." Er brummte etwas Unverständliches und wandte sich ab, offensichtlich war er in Gedanken schon wieder bei einem seiner Projekte. Charlotte sah ihm nach, seufzte, die Firma nahm einen viel zu großen Raum in Thomas' Leben ein. Aber das würde alles besser werden, wenn es nur noch um ihr gemeinsames kleines Unternehmen ginge. Dass sie mit dem Erwerb weiterer Ferienwohnungen langfristig ausbauen würden. Für den Anfang hatte Charlotte – dank der Kontakte zu den Holländern – eine Vertretung in Sarlat in Aussicht. Auf jeden Fall konnte sie im Juli und August in der Physio-Praxis arbeiten, vielleicht noch zu anderen Ferienzeiten. Das gab Sicherheit. Beim Anblick der schriftlichen Bestätigung ihrer Kündigung für Mitte

November, durchflutete Charlotte eine Welle von Elan; am liebsten hätte sie auf der Stelle mit den Planungen begonnen, sie konnte den Abend mit Thomas kaum erwarten.

Als sich Thomas' Schlüssel im Schloss drehte, kniete Charlotte in der Küche vor der Schublade mit den Töpfen und Pfannen und rief: „Es gibt gute Neuigkeiten." Thomas kam und blieb im Türrahmen stehen; sie hielt ihm eine stark verkratzte Pfanne entgegen und sagte: „Wegwerfen, was meinst du?" Ohne seine Antwort abzuwarten, stellte sie die Pfanne in den Karton mit der Aufschrift 'Müll'. Dann richtete sie sich auf und sagte: „Ich bin ein freier Mensch, ich habe zu Mitte November gekündigt. Wie ist es bei dir gelaufen?"

„Gibt es noch etwas von dem Risotto?", fragte Thomas. Charlotte schüttelte den Kopf.

„Ende Januar klappt nicht." Thomas ließ sich auf einen Küchenstuhl sinken. „Was meinst du mit 'Ende Januar klappt nicht'?" „Was ist daran so schwer zu verstehen", entgegnete er gereizt. „Thomas! Wir haben über Ende Dezember gesprochen, nicht über Ende Januar."

„Wünschen kann man sich vieles Lotte, es gibt aber Kündigungsfristen." „Dein Chef hat doch reichlich Zeit gehabt, für eine Nachfolge zu sorgen." Sie schmiss ein verbeultes Sieb in den Karton, stellte sich vor Thomas, der seine langen Glieder auf dem Stuhl zusammengefaltet hatte, und warf ihm einen scharfen Blick zu. Er schwieg. Kein gutes Schweigen.

„Es gibt noch keine Nachfolge", sagte sie. Er schob seine Arme unter die Oberschenkel, kippelte leicht hin und her, nickte kaum merklich, seufzte. „Du hast gar nicht mit ihm geredet im Sommer, ich fasse es nicht." Charlotte ließ sich auf einen Stuhl sinken und bedeckte ihr Gesicht mit den Händen.

„Lotte, er kann bei dem Schwimmbad-Projekt nicht auf mich verzichten." „Aber ich, ich soll auf dich verzichten. Du findest ein Schwimmbad wichtiger als unser Frankreich-Projekt?" Charlotte sprang auf und begann, erregt hin und her zu laufen. „Was bedeutet das für unseren Zeitplan?" Thomas zuckte mit den Schultern und sagte: „Vermutlich März."

„Vermutlich März? Du willst mir sagen, im März kommst du aus dem Vertrag?" Charlotte blitzte ihn an. „Wir waren uns einig, dass wir spätestens im Februar umziehen. Im Februar gibt es zwei Wochen Winterferien in Frankreich, das ist der perfekte Zeitpunkt für den Schulwechsel." Sie sagte das sehr bestimmt, doch in ihrem Magen flatterte es bei dem Gedanken, dass es dann ernst würde. Sie hatte begonnen, mit Anton jeden Tag ein bisschen Französisch zu lernen, spielerisch, ohne Druck. Hauptsächlich, um ihm die Sprachmelodie näher zu bringen und ihn ein paar einfache Wörter und kleine Sätze zu lehren. Würde das reichen?

„Dann ziehen wir eben im April um, und die Kinder wechseln nach den Osterferien", sagte Thomas und rieb sich die Augen.

„Wir wollten ab Sommer vermieten, schon vergessen? Sonst bricht unsere Kalkulation zusammen." Sie stampfte wütend mit dem Fuß auf. „Ich rede mit deinem Chef, er muss dich aus dem Vertrag lassen." „Das wirst du sicher nicht tun", sagte Thomas und schlug mit der flachen Hand auf den Tisch. „Du willst mal wieder mit dem Kopf durch die Wand. Der Umzug verschiebt sich etwas nach hinten, na und?"

„Dein Job ist wichtiger als alles andere, wie immer, ich bin das so leid. Es gäbe so vieles zu klären. Du entziehst dich ständig, und dann beklagst du dich, dass ich vorpresche." Es schepperte vernehmlich, als sie vor die Entrümpelungskiste trat. „Und du warst zu feige, rechtzeitig mit Reuss zu reden."

„Im Sommer war der Kaufvertrag noch nicht unterschrieben", sagte Thomas leise.

„Aber es war sonnenklar, dass es bald passieren würde! Und wir hatten eine Vereinbarung, schon vergessen?"

Er stand auf, fuhr sich mit den Händen durchs Gesicht. „Was soll das Lotti. Es ist, wie es ist. Ich mache mir etwas zu essen, die Streitereien bin ich echt leid." Charlotte sah sprachlos zu, wie Thomas seinen Kopf in den Kühlschrank steckte und dabei murmelte: „Man hätte einkaufen können." Sie warf einen Schneebesen in die Schublade und schob sie mit Nachdruck zu. Drückte den Rücken durch und stolzierte aus der Küche, in ihr reifte ein Plan.

Als Thomas zwei Tage später morgens in der Diele die Schuhe anzog, lehnte Charlotte lässig am Türrahmen und sagte beiläufig: „Ich werde in Kürze nach Frankreich fahren, damit es mit der Renovierung losgehen kann."

Thomas richtete sich auf, drehte sich um. „Was? Du? Allein?"

„Wer sonst? Irgendjemand muss ja die Arbeiten überwachen. Traust du mir das nicht zu?" Mit einem Ruck verschränkte sie ihre Arme und sah ihn herausfordernd an.

„Ich bin gewohnt, mit Handwerkern umzugehen, du nicht."

„Du musst Schwimmbäder bauen, schon vergessen?"

„Es gibt immer Probleme im Renovierungsprozess, man muss Entscheidungen treffen, umdisponieren." Seine lange Arme schlackerten durch die Luft, seine Stimme wurde lauter. „Es werden verschiedene Gewerke benötigt, Lotte, das muss koordiniert werden. Die Logistik ..."

„Wir bauen nicht den Berliner Flughafen, Thomas." Sie schüttelte den Kopf, sah ihn scharf an. „Du traust es mir nicht zu. Was bin ich eigentlich für dich, Köchin, Einkäuferin, Erledigerin?"

„Was soll das, Lotti. Lass uns noch warten, auf ein paar Wochen kommt es nicht an. Wenn Schwierigkeiten auftauchen, stehst du ganz alleine da. Und wer kümmert sich um die Kinder, wenn du in Frankreich bist? Ich bin jeden Tag acht bis zehn Stunden unterwegs." Er bückte sich, um den zweiten Schuh zuzubinden.

„Aha, daher weht der Wind", sagte sie spöttisch. „Du hast zwei Optionen, du fragst deine Schwiegermutter, oder du sprichst mit deinem Chef, heutzutage kann man vieles von zu Hause aus erledigen."

Thomas fummelte an seinem Schuh herum, dann richtete er sich auf und schüttelte den Kopf. „Reuss und Homeoffice, schwer vorstellbar." Er griff nach seiner Jacke.

„Dein Problem", sagte sie. „Ich habe mit Gabriel gesprochen, er hat mit den Handwerkern telefoniert, sie kommen am ersten Dezember." Sie machte eine Pause, dann sagte sie: „Eine Zugfahrkarte habe ich auch schon."

Thomas legte seine Jacke über den Arm, nahm seine Aktenmappe in die Hand, stürmte hinaus, knallte die Tür zu. Das ist eigentlich mein Part, dachte Charlotte und fragte sich, wo das Triumphgefühl blieb.

21

Ende November brach Charlotte nach Frankreich auf. Zwischen ihr und Thomas herrschte nach wie vor Eiszeit. Äußerlich funktionierten sie, stimmten sich über Abläufe ab wie professionelle Kollegen, die zur Zusammenarbeit gezwungen waren.

Emily würde die Woche über bei ihrer Freundin wohnen, bevor Paula mit ihrer Familie nach Hamburg umzog. Anton konnte an drei Nachmittagen in der Woche zu einem Freund gehen, Hannelore würde sich an den anderen Tagen um Anton kümmern. So sah die Lösung bis Weihnachten aus. „Danach sehen wir weiter", sagte Thomas zufrieden, als er das geklärt hatte. Anstatt sich zu freuen, dass die Kinder gut untergebracht waren, ärgerte Charlotte sich maßlos, dass Thomas von allen Seiten unterstützt wurde. Unterstützung, die sie im umgekehrten Fall sicher nicht erhalten hätte.

Beinahe hätte Charlotte ihre Freundin Luisa gebeten, sie zum Bahnhof zu bringen, aber das brachte sie dann doch nicht übers Herz. Nein, im Gegenteil, sie würde sich auf dem Bahnsteig besonders liebevoll von ihrem Mann verabschieden; bestimmt würden noch versöhnliche Worte fallen, es war an der Zeit, es war lächerlich, so zu streiten.

Bei strömendem Regen fuhren sie frühmorgens nach Mainz, froh, dass die emsig arbeitenden Scheibenwischer ihre Sprachlosigkeit übertönten. Als sie den Bahnhofsvorplatz erreichten, machte Thomas keinerlei Anstalten zu parken, umklammerte das Lenkrad und murmelte etwas von einem frühen

Termin. Verdattert stieg Charlotte aus. Sie holte ihr Gepäck aus dem Kofferraum, steckte den Kopf durch die noch geöffnete Beifahrertür, sagte „tschüss", und schloss die Tür betont behutsam. So kindisch sie zuzuknallen war sie nicht! Als sie sich abwenden wollte, machte Thomas sie, heftig gestikulierend, darauf aufmerksam, dass die Tür nicht richtig geschlossen war. Mit Koffer und Rucksack in der Hand, Regenrinnsalen im Nacken und wachsender Wut im Bauch, drückte sie erneut dagegen, sie klemmte. Achtlos stellte sie ihr Gepäck ab, prompt in eine Pfütze, nahm Schwung auf und knallte die Tür zu. Menschen schauten zu ihnen herüber. Thomas, der bedächtigste Autofahrer, den Charlotte kannte, gab unverzüglich Gas. Sie schaute ihm nach, bis unter die Ponyfransen vollgestopft mit Wut. Auf dem Bahnsteig beobachtete sie zwei Paare, die sich liebevoll voneinander verabschiedeten, überhaupt schienen alle Menschen von jemandem begleitet zu werden. Verwirrt fragte sie sich, wie es soweit hatte kommen können mit ihnen.

Im Zug versuchte sie, die Gedanken an Zuhause, an den Streit mit Thomas und ihre Sorgen rund um die Kinder abzuschütteln. Bestimmt hatten Emily und Anton gemerkt, dass zwischen ihren Eltern dicke Luft herrschte. Und nun verschwand ihre Mutter einfach. Würde Thomas sich genug Zeit für die Kinder nehmen? Mit ihnen über die Zukunft in Frankreich reden und ihnen Lust darauf machen? Den Französisch-Unterricht mit Anton fortsetzen? Emily beruhigen, wenn sie wieder einen ihrer Ausbrüche hatte, sie würde bestimmt keine Freunde finden? Bei der letzten Auseinandersetzung mit ihr hatte Charlotte die Holländer mit dem Campingplatz erwähnt: „Die Kinder fühlen sich wohl in Frankreich und haben viele Freunde." Und was hatte Emily geantwortet? „Engländer und Holländer gibt es im Périgord zuhauf, aber keine Deutschen. Das muss doch einen Grund haben." In der Tat lebten wenig Deutsche in dieser Ecke Frankreichs – woher ihre Tochter das bloß wusste? Tja, Unterredungen solcher Art führten zu nichts, Emily hatte immer das letzte Wort. Aber Charlotte hatte ihr vorgeschlagen, später einen Blog zu schreiben, über ihre Erlebnisse als ausgewandertes deutsches Mädchen. Da hatten Emilys Augen für einen Moment aufgeleuchtet.

Charlotte kroch tiefer in den Sitz und redete sich zu, nach vorn zu schauen und sich auf die lange Fahrt einzustellen, die ihre volle Konzentration erforderte. Die Aussicht auf das Umsteigen in Paris, in den TGV, machte sie nervös. Ihr war nicht klar gewesen, dass die französische Hauptstadt keinen Zentralbahnhof hatte. In Mannheim erreichte sie problemlos den pünktlichen ICE nach Paris. Dort musste sie vom Bahnhof Paris Est zum Bahnhof Paris Montparnasse wechseln, hatte dafür zwar eine knappe Stunde Zeit, aber sie musste sich im Gewirr der riesigen Bahnhofshallen zurechtfinden und in die richtige *Métro*, Richtung Montparnasse, einsteigen. Das gelang besser als erwartet; nun galt es nur noch, das Gleis für ihren Zug nach Bordeaux aufzuspüren. Wie ärgerlich, dass das Gleis für Fernzüge in Frankreich erst zwanzig Minuten vor der Abfahrt bekannt gegeben wurde! So wurde sie doch noch zu einem

Spurt gezwungen. Kaum saß sie um Luft ringend im Zug, schlossen die Türen, nanu, knapp zwei Minuten vor der offiziellen Abfahrtszeit? (Franzosen pünktlicher als Deutsche? Das war ja ganz neu.)

Uff, geschafft! Aufatmend lehnte sie sich zurück, lockerte ihren Schal, wollte gerade die Augen schließen, als der Schaffner vor ihr stand; mit einem Lächeln auf den Lippen und einem Anflug von Stolz reichte sie ihm ihr Ticket, sie fühlte sich schon sehr französisch. Die Miene des Mannes blieb unbewegt, aber dann zeigte er streng auf ihren Koffer. „Ist das Ihrer, *Madame?*" Sie bejahte arglos, eine Sprachsalve folgte. Sie verstand nur *„votre étiquette."* Irritiert sah sie den Mann an. *„Pardon?"* Er wiederholte die Worte, noch schneller, noch lauter, und nun kam auch noch Ungeduld hinzu. *„L'étiquette pour bagages"*, sagte jemand hinter ihr. Ah, *bagages – bagages* war das Gepäck, das wusste sie natürlich. *„C'est obligatoire"*, sagte die Stimme in ihrem Nacken und jetzt dämmerte es ihr: Kofferanhänger mit Namen und Adresse waren Pflicht in Frankreich. Sie entschuldigte sich, der Schaffner hörte sich ihr Gestammel mit unbewegter Miene an, von hinten wurde ihr ein Blanko-Etikett gereicht, das sie hastig ausfüllte. Parallel dazu redete ihr Hintermann auf den Schaffner ein, auf *amendes*, auf Bußgeld, zu verzichten. Das tat er auch tatsächlich, ohne Kommentar wandte er sich kopfschüttelnd ab und ging weiter.

„Er hat einen schlechten Tag", sagte die Stimme hinter ihr (aufreizend langsam, als verstünde sie kein Französisch). „Normalerweise sind wir Franzosen nette Kerle." Charlotte lachte, drehte sich um, bedankte sich. Eine Unterhaltung entspann sich, erst holperte es etwas mit dem Französischen, aber dann begann es zu fließen, und es fühlte sich großartig an: Sie war auf dem Weg zu ihrem neuen Domizil in Frankreich und plauderte nett mit einem Franzosen. Ihr Retter war ein junger Mann in einem eleganten Kamelhaarmantel, der seine Eltern in Bordeaux besuchen wollte. Charlotte bot ihm von ihren Keksen an und erzählte, dass sie dort umsteigen musste. Bei der außerordentlichen Pünktlichkeit des Zugs sei es bestimmt kein Problem, den Anschluss zu erreichen? Der Mann lachte, sichtlich amüsiert. „Heute mal nicht."

„Heute mal nicht?" Charlotte ließ die Hand mit der Kekspackung sinken.

„Vorige Woche wurde gestreikt, da hätten Sie Probleme bekommen."

„Ah Streik, – um was ging es?"

„*Eh bien*, es ging um geplante Sozialreformen – oder ein neues Arbeitsgesetz?" Er zupfte sich am Kinn. „Manchmal weiß man es nicht so genau. Die Franzosen streiken gerne, sie lieben es, ihren Unmut deutlich zu zeigen. Ihr Deutschen seid viel gehorsamer."

Charlotte, die gerade einen Keks aus der Packung ziehen wollte, sah den Mann verdutzt an. „Gehorsamer?"

„Haben Sie schon mal einen Franzosen gesehen, der bei Rot an der Ampel stehen bleibt?" Der Mann lachte so laut, dass andere Fahrgäste sich nach ihnen umdrehten. Charlotte biss in ihren Keks. Darüber musste sie nachdenken, darauf würde sie achten.

Man verabschiedete sich mit vielen guten Wünschen füreinander.

Ursprünglich hatte Charlotte vorgehabt, noch am selben Abend ihren Mietwagen in Sarlat abzuholen und auf den Hof zu fahren. Das hatte ihr Thomas ausgeredet – ob sie wirklich ganz allein im Stockdunkeln in ihrem neuen Zuhause ankommen wollte? Jetzt war sie dankbar, dass sie sich ein Hotelzimmer gebucht hatte. Sie war erschöpft von der langen Fahrt, den Aufregungen und nicht zuletzt vom vielen Französisch Sprechen – da lag noch ein weiter Weg vor ihr, das war ihr klar geworden. Ach, und sie freute sich auf ein richtiges Bett.

22

Am nächsten Morgen machte Charlotte sich bei trübem Wetter früh auf den Weg und deckte sich mit Lebensmitteln ein. Baguette wollte sie unterwegs besorgen, bei dem ihrer Meinung nach besten Bäcker weit und breit. Er befand sich auf der Strecke zu 'ihrem' Dorf, kurz hinter einer Weggabelung. Als sie mit dem kleinen Peugeot die Ecke erreichte, hielt sie an und stieg aus. Am höchsten Punkt der T-Kreuzung stand ein steinerner Sockel, der ein mit Rosetten verziertes Metallkreuz trug, das Ganze war bestimmt drei Meter hoch. In die Frontseite des Sockels waren Buchstaben geprägt, entziffern ließen sich noch die Worte CROIX und ESPERANCE, der Rest war verwittert. Sie liebte diese Ecke, denn normalerweise hatte man von hier aus einen weiten Blick in die sanft geschwungene Landschaft; heute konnte man nur nebelverhangene Hügelketten erahnen. Im Sommer hatten auf dem untersten Sockel des Denkmals oft Blumensträußchen gelegen, jetzt hatte jemand eine kleine weiße Madonna abgestellt und ein aus Ästen gebasteltes Kreuz daneben gelehnt. Charlotte fröstelte und fragte sich, ob sie genug warme Kleidung eingepackt hatte.

Wenig später legte sie zwei ofenwarme Baguettes und eine Tüte mit Croissants auf den Beifahrersitz. Es duftete so verführerisch, dass sie sofort in ein Croissant biss und es komplett verputzte. Dann wischte sie sich die Krümel vom Kinn und machte sich auf den Weg zu ihrem neuen Zuhause. So oft war sie diese Strecke gefahren, hatte bei Sonnenschein den Panoramablick auf Wälder und Hügel genossen. Doch statt aufzuklaren, wurde die Nebelsuppe eher dicker und legte sich wie ein Tuch über die Landschaft. Aus dem Radio ertönte ein schwermütiges Chanson von Juliette Gréco, sie suchte halbherzig nach einem anderen Sender, dann stellte sie das Gerät ab.

Auch Saint-Yac wirkte heute fast feindselig, trübe und düster lag das Dorf unter tief hängenden Wolken. In den Straßen war niemand zu sehen. Bevor sie in den langen Feldweg einbog, kam sie am neuen Zuhause der Zwillinge vorbei, verlangsamte und spähte aus dem Fenster, ob sie vielleicht Eduard oder Philippe in ihrem Vorgarten sehen würde. Aber natürlich hielten die sich auch lieber drinnen auf bei diesem ungemütlichen Wetter. Als das Gehöft aus den Nebelschwaden auftauchte, klopfte ihr Herz wie wild. Sie parkte den Wagen vor dem kleinen Häuschen, das die Zwillinge bewohnt hatten, *la petite Rosalie*. Sie hatte die Gebäude, die Scheune ebenso wie die beiden angrenzenden Häuser, so golden in Erinnerung, so viel Licht und Wärme ausstrahlend. Heute wirkten die Steine grau, die Fensterläden waren geschlossen, hingen teilweise schief in den Angeln und machten einen morschen Eindruck. Beim kleineren Häuschen fehlten Dachziegel, warum war ihnen das bisher nicht aufgefallen? Der Kies war übersät mit Blättern und kleinen Ästen. Das gesamte Gelände mutete trist an, vernachlässigt, nahezu abweisend. Sie schluckte und ihre Hände zitterten leicht, als sie den Schlüssel ins Schloss schob. Ein süßlich-muffiger Geruch schlug ihr entgegen, angewidert zog sie die

Nase kraus, schüttelte sich. Die Brüder hatten beim Verkaufstermin gesagt, sie würden noch einmal vorbeikommen und sauber machen. Der Geruch ließ nichts Gutes erahnen. Den kleinen Küchentisch, die Emaille-Spüle mit Unterschrank, einen winzigen Kühlschrank und zwei wackelige Holzstühle hatten sie auf Wunsch von Charlotte stehen lassen, ebenso ein kleines, durchgesessenes Sofa im Wohnraum. Bis ihre Familie an Weihnachten mit dem Campingmobil nachkommen würde, würde ihr das reichen. Aber dieser Geruch! Sie trat vorsichtig näher, überall lagen kleine schwarze Krümelchen, oh Mäusekot. Na, so lange es keine Ratten waren ...

Im dritten Raum, einem winzigen Zimmerchen, war auf ihren Wunsch eins der Betten stehen geblieben; darauf lag eine unglaublich schmuddelige, von gelblichen Flecken übersäte Matratze. Da hatten sie sich wohl gründlich missverstanden, natürlich wollte sie nur das Bettgestell behalten. Auch hier fand sich überall Mäusekot. Mit einem Ruck hob Charlotte die Matratze vom Bett und zog sie rückwärts aus der Haustür. Dann rannte sie zurück ins Häuschen, hielt die Luft an, öffnete alle Fenster (sie starrten vor Schmutz) und stieß die Läden auf. Diffuses Licht und feucht-kühle Luft strömten herein, kein wirklicher Gewinn. Sie schaute nach Putzmaterialien; außer einem Besen, der seine besten Tage hinter sich hatte und einem scharfkantigen Kehrblech fand sie nichts. Da half jetzt nur eins – ein ausgiebiger Einkauf im *Mr. Bricolage*, dem französischen Baumarkt. Sie trat vor die Haustür und ging zu ihrem Mietwagen, betrachtete ihn nachdenklich. Was für eine blödsinnige Idee, so ein kleines Auto auszuleihen. Sparsamkeit am falschen Platz. Thomas mahnte immer, sie sollten das Geld zusammenhalten. Na ja, wenn sie ehrlich war, er hatte sich bei diesem Thema gar nicht eingemischt. Kurz entschlossen fuhr sie wieder nach Sarlat und tauschte den Peugeot gegen einen Renault Kangoo, einen kompakten Kleintransporter. Das fühlte sich eindeutig besser an, und als sie am *brico* ankam, ging es ihr schon fast wieder gut. Bis ihr einfiel, dass es schlau gewesen wäre, in *la Rosalie* erst einmal eine Bestandsaufnahme und eine Einkaufsliste zu machen. So lief sie etwas verloren zwischen den Gängen hin und her, kaufte Mäusefallen und Gummihandschuhe im Zehnerpack und alles, was ihr an Putzmitteln und Gerätschaften für ein grundlegendes Reinemachen in die Hände fiel.

Zurück auf dem Hof biss sie einmal vom Baguette ab, dann riss sie wieder alle Fenster auf, schleppte Stühle, Sofa und Tisch nach draußen und fegte als Erstes das Häuschen gründlich aus. Es waren winzige Räume, und dennoch dauerte es ewig, vor allem in der Küche, dort fand sich überall verkrustetes Fett auf dem Boden, das sie mit einem Messer mühsam abschabte. Immerhin war der Kühlschrank leer geräumt, aber die drei Regalböden waren schmutzig, egal, wo sie hinfasste, es klebte. Den Vorhang vor dem Unterschrank der Spüle riss sie ab und warf ihn nach draußen, ebenso die beiden Regalbretter. Das Spülbecken scheuerte sie mit solch verbissener Intensität, dass anschließend Arme und Schulter schmerzten. Danach bearbeitete sie die Böden mit

einer Seifenlauge, ebenso das eiserne Bettgestell –
nach kurzer Zeit roch es zwar nicht mehr muffig,
aber so penetrant nach Putzmittel, dass ihr fast
schlecht wurde. Sie wusste doch, dass französische
Reinigungsmittel stark parfümiert waren, viel stärker
als in Deutschland. Das war der Zeitpunkt, zu dem
sie beschloss, die erste Nacht in ihrem Auto zu verbringen, ohne die Gesellschaft von kleinen Nagern
und den Geruch von künstlichem Lavendel.

Weil sie keinen Teppichklopfer zur Verfügung
hatte, schlug sie mit dem Schrubber so lange auf das
Sofa ein, bis es keine Staubwolken mehr von sich
gab. Danach zog sie es bedauernd wieder zurück ins
Häuschen – die Luft war einfach zu feucht, um es
draußen zu lassen. Auch den Tisch und die Stühle
trug sie zurück. Zum Glück funktionierten die Elektroöfen, die würde sie jetzt durchlaufen lassen. Dann
endlich gönnte sie sich eine Pause; sie setzte sich ins
Auto und verdrängte die Bilder, die sie von ihren
ersten Tagen im neuen Zuhause im Kopf gehabt
hatte. Sie kramte ihr *Opinel* aus dem Rucksack und
schnitt ein großes Stück Käse ab, legte es sich auf
den Oberschenkel, dazu ein Stück Hartwurst und
einen Rest Baguette. Dann setzte sie die Flasche
Rotwein an die Lippen, nahm einen großen Schluck,
schlürfte ihn bedächtig, lehnte sich zurück und atmete tief durch. Nun gut, der Anfang war anders gelaufen, als sie sich das vorgestellt hatte – was hatte sie
eigentlich erwartet? Auf jeden Fall besseres Wetter.
Der Zustand des Häuschens hatte sie ein wenig
überrascht. Wenn sie ehrlich war, sogar geschockt.
Und das Ambiente des Hofs insgesamt – wo war der

Zauber hin, der sie so begeistert hatte? Lag es wirklich nur am Wetter? An der Jahreszeit? Oder hatten Wünsche und Sehnsüchte alles rosarot gefärbt? Nachdenklich kaute sie an einem Stück Wurst, schob gedankenverloren noch ein Stück Käse hinterher und wunderte sich über die Mischung in ihrem Mund. Auch der Wein hatte ihr schon deutlich besser geschmeckt. Jetzt bloß nicht in eine wehleidige Stimmung abdriften, Charlotte. Du bist in Frankreich, an einem wunderbaren Ort. Denk dran, wie schön es hier einmal aussehen wird.

Erst als ihr wieder etwas leichter ums Herz war, lief sie mit ihrem Handy über das Gelände und suchte nach Empfang; endlich tauchten zwei Balken auf, und sie rief Thomas an und berichtete knapp, wie es vor Ort aussah. „Bestimmt wird das Wetter bald besser und dann wird es einfacher", sagte er. Die rund tausend Kilometer zwischen ihnen spürte sie mit jeder Faser ihres Körpers.

23

Als Charlotte am nächsten Morgen steif und durchgefroren erwachte und sich mühsam aus dem Auto quälte, brach tatsächlich die Sonne durch, und ihre Stimmung hob sich ein bisschen. Doch als sie ins Häuschen ging, stellte sie fest, dass die Elektroöfen sich zwar redlich mühten, aber von gemütlicher Wärme keine Rede sein konnte. Fenster und Türen waren offensichtlich undicht. Es war klamm und roch immer noch ein wenig modrig. Sie beschloss es zu ignorieren. Was blieb ihr anderes übrig? Noch eine Nacht im Auto würde sie sich jedenfalls nicht antun. Nach einer Katzenwäsche am gewienerten Spülbecken machte sie sich einen starken Tee, belegte das weich gewordene Baguette mit einem Stück Käse und frühstückte im Stehen. Sie wollte auf jeden Fall bereit sein, wenn die Handwerker kamen. Das war hoffentlich bald, damit sie noch mal in den *brico* fahren konnte; ihre Einkaufsliste wuchs beständig und sie hatte das dringende Bedürfnis, es sich ein bisschen gemütlicher zu machen. Sie lief hinüber zu *la grande Rosalie*; das größere Haus sollte als Erstes zur Ferienwohnung umgebaut werden. Sie sah es schon vor ihrem geistigen Auge, drinnen licht und luftig, draußen die Fassade abgebürstet, die Fensterläden frisch gestrichen, rechts und links von der Haustür Töpfe mit blühenden Blumen. Im Erdgeschoss gab es eine quadratische Küche und drei kleine Zimmer, im Obergeschoss eine kleine Kammer und zwei mittelgroße Zimmer, sowie ein Bad mit einer total verdreckten Wanne, die sicherlich nicht

mehr zu retten war. Ob sie schon mal beginnen sollte, die Fliesen abzuschlagen? Das war natürlich Un-
sinn, denn die Handwerker würden gleich eintreffen,
mit professionellen Gerätschaften. Unruhig tigerte
sie hin und her, ging in die Tabak-Scheune, von der
aus später ein Durchbruch zu *la petite Rosalie* geplant
war und Wände eingezogen werden mussten. Sie lief
hinüber in die offene Scheune, um zu sehen, ob dort
vielleicht Material lagerte, das sie brauchen könnte.
Ein riesiger Haufen roter Ziegelsteine lag in einer
Ecke, sie freute sich über den tollen Fund. Sie würde
Bretter kaufen und mit den Steinen Regale bauen.
Um zehn Uhr wurde sie unruhig. Verabredet war,
dass die Handwerker 'gleich morgens' kommen sollten. Was auch immer das in der französischen
Handwerker-Sprache hieß. Sollte sie anrufen? Sie
wollte nicht gleich am ersten Tag drängelig erscheinen und es sich so mit den Handwerkern verscher-
zen. Sie prüfte das Datum in ihrem Kalender. Um
halb elf rief sie an. „Doch doch, heute, *bien sûr*", tönte es aus dem Telefon, aber sie waren noch auf einer
anderen Baustelle, ganz in der Nähe, sie würden
sofort kommen, *„un petit quart d'heure"*. Okay, also
noch mal fünfzehn Minuten warten.

Eine Stunde später hielt ein Lieferwagen im Hof
und drei Männer, alle in dunklen, schweren Hosen
und grob gestrickten Wollpullovern, allesamt graue
Strickmützen auf dem Kopf, stiegen aus. Der größte
von ihnen, offensichtlich der Chef, kam auf sie zu,
ließ ihre Hand in seiner Pranke verschwinden und
schüttelte sie, als wolle er sie gar nicht mehr loslas-
sen. „Louis", er tippte sich mit dem Finger an die

Brust, „Alfred und Alphonse", er zeigte auf die beiden anderen. Alfred hatte die Statur eines Pandabären, Alphonse war groß und schlank, doch selbst durch den dicken Pullover hindurch konnte man Muskelpakete erahnen. Louis deutete auf *la grande Rosalie*, sagte: „Das ist es also."

„Wollen wir reingehen, dann zeige ich Ihnen, was zu tun ist", sagte Charlotte eifrig.

„Ich weiß, ich weiß, Fliesen abschlagen, Zeug rausholen, *pas grand-chose*." Louis schüttelte den Kopf, gleichzeitig gestikulierte er mit beiden Händen, um seinen Worten Nachdruck zu verleihen. Seine beiden Kollegen hatten abwartend daneben gestanden, kamen nun aber auch näher, um Charlotte mittels Händedruck eindringlich von ihren handwerklichen Fähigkeiten zu überzeugen. So überzeugend, dass sie danach verstohlen ihre Finger hinter dem Rücken durchknetete.

„*Allez*", sagte Louis und setzte seine dichten, dunklen Augenbrauen in Bewegung, ließ sie nach oben wandern. Seine *copains* hatten offensichtlich verstanden, denn sie begannen, Vorschlaghämmer und jede Menge anderes Werkzeug auszuladen und vor dem Haus abzulegen. Louis stand neben Charlotte und ließ seinen Blick über das Gelände schweifen.

„Was ist mit dem anderen Haus?", seine Pranke deutete auf *la petite Rosalie*.

„Momentan wohne ich darin, aber es muss auch renoviert werden, es soll einen Durchbruch zur Scheune bekommen."

Louis nickte, rieb sich die Hände und rief erneut: „*allez*." Charlottes Herz machte einen Hüpfer, endlich ging es los. Doch Alfred setzte mit einem Ruck die Schubkarre dort ab, wo er gerade stand und trabte zum Auto; Alphonse blieb gleich beim Lieferwagen stehen, und auch Louis ging nicht etwa zum Haus, sondern zum Auto, öffnete die Tür und sagte zu Charlotte gewandt: „*à tout à l'heure.*"

„Bis gleich?", sagte Charlotte verdutzt. „Ich dachte, Sie ..."

„Ah, *mais*, Mademoiselle, *c'est midi.*"

Die Tür klappte zu, Charlotte schaute der Staubwolke des sich entfernenden Autos hinterher und schlug sich mit der flachen Hand vor die Stirn. Natürlich, die heilige Mittagspause.

Hätte sie fragen sollen, wann sie wiederkommen würden? Die Antwort wäre wahrscheinlich gewesen: „*un petit quart d'heure.*" Sie seufzte. Aber bestimmt waren sie nicht lange genug weg, dass sie bedenkenlos zum Baumarkt fahren konnte. Sie ging wieder in die offene Scheune, holte ein altes Schränkchen aus der hintersten Ecke, stellte es in den Hof und betrachtete es von allen Seiten. Das könnte sie in der Küche oder neben ihrem Bett gut gebrauchen. Sie würde es abschmirgeln und neu streichen – Schmirgelpapier hatte sie natürlich nicht, ihre Liste für den *brico* wuchs und wuchs. Aber sie hatte jetzt eine Schubkarre. Sie schnappte sich das Teil der Handwerker, begann die roten Ziegelsteine hinüberzufahren und sie vor dem Häuschen aufzustapeln. Wenn sie doch jetzt schon die Bretter für die Regale hätte. Nach ein paar Fuhren bemerkte sie die erste Blase an der rechten Hand – *merde*, fluchte sie, ich brauche Arbeitshandschuhe. Als sie genug Steine beisammen hatte, schnupperte sie noch mal kurz im Häuschen, es roch nur noch schwach nach Putzmitteln. Also trug sie ihre Isomatte und ihren Schlafsack in das kleine Zimmer und legte beides auf das Bettgestell. Inzwischen war so viel Zeit vergangen, dass sie es problemlos zum *brico* geschafft hätte. Endlich hörte sie ein Auto kommen und schaute aus dem Fenster, der Lieferwagen spuckte drei offensichtlich gutgelaunte Handwerker aus. Als sie erneut einen Versuch machte, ihnen zu zeigen, was zu tun war, winkte Louis ab. „Ist doch alles besprochen, *pas de problème*. Es wird laut und staubig, vielleicht gehen Sie ein wenig spazieren, *Mademoiselle?*"

Charlotte hatte sich immer für schlagfertig gehalten. Bis zu diesem Moment. Was dachte der Typ von ihr? Sie holte tief Luft. Aber dann besann sie sich, dies war die passende Gelegenheit, zum *brico* zu fahren. Als sie sich ins Auto setzte, hörte sie es Rumpeln, Poltern und Hämmern, ab und zu war ein lautstarker Fluch zu hören, sie zog die Schultern ein und gab Gas.

Mit bis obenhin vollgepacktem Einkaufswagen – die sperrigen langen Bretter immerzu im Weg, egal ob sie sie quer oder längs schichtete – stand sie an der Kasse und begann ihre Waren aufs Band zu legen, als ihr Handy klingelte. „*Mademoiselle*, sind Sie sicher, dass es keine tragende Wand ist? Wir machen das jetzt weg?"

„Was, wo", rief sie panisch, „sind Sie schon dabei, Wände rauszunehmen?"„*Bien sûr*", dröhnte es durch das Telefon, natürlich.

„Ich bin unterwegs, *attendez*, warten Sie! *Monsieur?* Louis?" Es folgte ein unwilliges Grunzen am anderen Ende der Leitung.

„*Un petit quart d'heure*, und ich bin da." Eine unkluge Aussage. „In dreißig Minuten", verbesserte sie sich. In Schweiß gebadet sah sie sich um, bereit sich bei den anderen Wartenden an der Kasse zu entschuldigen, doch sie sah nur in gleichmütige Gesichter. Auch die Kassiererin schaute sie nur neugierig, aber nicht ungeduldig an. Sie war in Frankreich, hier war man offensichtlich entspannter.

Vor dem Baumarkt wählte sie mit zitternden Fingern Thomas' Nummer, zum Glück ging er sofort dran. Hektisch fragte sie ihn, ob er sicher sei, dass die beiden Wände rausgenommen werden könnten. „Ich habe es mir angeschaut, ja, sie können raus." Es entstand eine kurze Pause – „aber vielleicht sollte man es doch noch mal prüfen."

„Was?", brüllte Charlotte ins Telefon, „das kann ja wohl nicht dein Ernst sein."

„Wir waren seinerzeit in Eile, ich habe dir gesagt, es wäre besser, wenn ich vor Ort wäre ..."

„Thomas, sag mir, was ich tun soll, ansonsten halt' die Klappe!"

„Schick' mir noch mal Fotos, vor allem von der Balkenlage der Decke." Charlotte warf das Handy auf den Beifahrersitz, die Bretter und das ganze Kleinzeugs in den Kofferraum und brauste los. Unterwegs kam ihr eine Idee, sie fuhr rechts ran und suchte nach der Telefonnummer von Gabriel. „Bitte, bitte, geh ran", flehte sie. Tatsächlich meldete er sich kurz darauf mit: „*allô?*"

„Gabriel, Sie müssen mir helfen, können Sie vorbeikommen und prüfen, ob zwei Wände herausgenommen werden dürfen?" Puh, das war unfranzösisch, so mit der Tür ins Haus zu fallen!

„Oh, Sie sind schon in Frankreich? Ich dachte, Sie kommen erst in ein paar Tagen. *Bien sûr*, das mache ich gerne, wann brauchen Sie mich, *Charlott?*",,*Tout de suite*, sofort, die Handwerker warten, *désolée*, es tut mir leid", stammelte sie. „Oh, das geht nicht, ich bin in Marseille, bei meinem Bruder. Aber übermorgen könnte ich kommen."

Den restlichen Weg zum Hof redete Charlotte sich gut zu. Sie war die Auftraggeberin, sie bezahlte die Handwerker, Verzögerungen konnten passieren, die Männer waren viel zu spät gekommen, es würde sowieso bald dunkel werden, Wände herauszureißen war kein Pappenstiel, musste also genauestens geprüft werden, Planänderungen waren normal, das wusste doch jeder! Als sie den Hof erreichte, fühlte sie sich halbwegs gewappnet.

24

Inzwischen war es halb vier. Im fahlen Sonnenlicht türmten sich Berge von Schutt und zerbrochenen Fliesen vor dem Häuschen, auch die Badewanne war schon herausgerissen, das Gras war von einer grauen Schicht bedeckt. Die drei Männer lehnten am Lieferwagen, Louis und Alfred rauchten, Alphonse kaute auf einem Streichholz.

Charlotte schob die Hände tief in die Taschen ihrer Latzhose, holte tief Luft und trat ihnen entschlossen entgegen. „Übermorgen kommt ein Architekt, ich möchte das noch einmal prüfen lassen", sagte sie und bemühte sich um eine feste Stimme.

„Noch einmal?" Louis zog die Augenbrauen hoch, seine Kumpanen grinsten. „Sie haben es geprüft, *vraiment*, wirklich?" „Ja, mein Mann hat es sich angeschaut. Mein Mann ist Bauingenieur", fügte sie trotzig hinzu, „aber wir möchten ganz sicher sein." In Louis' Gesicht zuckte es. Charlotte brachte sich in Stellung, machte sich auf eine unerfreuliche Diskussion gefasst, doch dann sagte er unvermittelt, „*allons-y*, gehen wir", warf seine Kippe auf die Erde, trat sie flüchtig aus, tippte mit dem Finger an die Mütze, „*Mademoiselle*", und holte mit dem rechten Arm weit aus, das Signal zum Abmarsch. Charlotte hatte das starke Gefühl, dass alle drei sich das Lachen verbeißen mussten – ach, sollten sie doch.

Charlotte wischte das in der Scheune gefundene Schränkchen ab und stellte es provisorisch neben ihr Nachtlager. Das passte, das würde sie morgen schmirgeln und streichen. Inzwischen begann es zu dämmern und so beeilte sie sich, die Holzbretter zu *la petite Rosalie* zu schleppen und in der Küche und im Wohnraum Regale zu bauen. Das ging flott voran, auf zwei oder drei übereinander gestapelte Ziegelsteine legte sie jeweils ein Brett. Zufrieden rieb sie sich die Hände, sollte sie erst etwas essen oder erst ihre mitgebrachten Schätze auspacken und in den Räumen verteilen? Die Kerzen, mehrere Väschen, ein antikes Nähkästchen, indem sie ihre Stifte aufbewahrte, ihre beiden schönsten Weihnachtskugeln. Oh, Thomas durfte auf keinen Fall den Karton mit Weihnachtsschmuck vergessen. Sie hatte zu Hause eine kleine Kiste mit Dekosachen gepackt und zum Mitnehmen bereitgestellt, damit sie es ein wenig weihnachtlich schmücken könnte, wenn die Familie kam. Sie sollte wohl zunächst einmal Thomas anrufen.

„Wieso meldest du dich nicht, Lotte?", brüllte es ihr entgegen. „Ich warte und warte. Was ist mit den Fotos, die du schicken wolltest?"

„Du wolltest, dass ich Fotos schicke", sagte sie.

„Du wolltest wissen, was du tun sollst. Was ist mit den Wänden, sie haben sie nicht etwa schon herausgenommen?"

„Nein, haben sie nicht. Übermorgen kommt Gabriel vorbei, um es sich anzuschauen."

„Aha." Stille am anderen Ende.

„Was heißt aha, das ist doch eine super Lösung. Sag jetzt nicht, das kränkt dich in deiner Ingenieur-Ehre. Kannst du dir eigentlich vorstellen, wie das hier für mich ist? Mit Handwerkern, die mich mit *Mademoiselle* anreden und ganz offensichtlich nicht ernst nehmen? Die mich erst Stunden warten lassen und wenn sie endlich da sind, erst mal Mittagspause machen?" Jetzt war sie richtig in Fahrt, es gab noch das Thema Mäuse, den Mief in ihrer Behausung, den unglaublichen Dreck überall, sie holte tief Luft.

„Lotte, glaubst du etwa, hier ist es einfach? Anton hat überhaupt keine Lust, Hausaufgaben zu machen, steht dauernd vor mir und sagt, er langweilt sich; Emily motzt, dass ihr mein Essen nicht schmeckt und mir brummt der Schädel, weil ich mich nicht konzentrieren kann, und meine Arbeit sich immer in den Abend verschiebt. Genau genommen ist das hier ein einziges Chaos, und ich befürchte Ärger mit meinem Chef, weil ich zeitlich hinten dranhänge."

„Was ist mit meiner Mutter?", fragte Charlotte verdutzt.

„Sie war nicht eingestellt auf diese Woche, sie kommt erst nächste Woche. Ich habe Emily gesagt, sie muss so lange noch hier wohnen, damit Anton nicht alleine ist. Was glaubst du, wie sie reagiert hat?" Charlotte lag einiges auf der Zunge – dass ihr Mann nun mal sah, wie das war mit Kochen und Kindern, dass man sich auf ihre Mutter nicht verlassen konnte, dass sein Chef ihm egal sein konnte, weil er bald nicht mehr sein Chef sein würde. Aber sie riss sich zusammen und schnalzte bedauernd mit der Zunge. „Ja, Emily kann schwierig sein beim Essen, das weiß ich aus eigener Erfahrung."

„Wenn es das nur wäre. Ich fühle mich wie ein Hobby-Jongleur, dem man fünf Bälle in die Hand gedrückt hat. Und es ist ein schreckliches Gefühl, dich dort alleine zu wissen." Thomas seufzte.

„Ich bekomme das hin", sagte Charlotte mit fester Stimme, um ihn, aber wohl noch mehr, um sich selbst zu beruhigen. Den Hinweis auf die Weihnachtskiste ersparte sie sich (und ihm) vorerst. Sie war froh, dass das Telefongespräch einigermaßen versöhnlich über die Bühne gegangen war.

Gabriel kam schon um acht Uhr am übernächsten Tag. Er trug einen schmal geschnittenen grauen Mantel und hatte einen weinroten Wollschal um den Hals geschlungen, seine Lederschuhe glänzten frisch poliert. „Oh je", sagte Charlotte und deutete auf seine Schuhe, „hier ist es überall so staubig."

„*C'est pas grave*, nicht schlimm, ich muss ja nur schauen." Als Charlotte ihm von ihren Erlebnissen mit den Handwerkern berichtete, lachte er schallend. „*Charlott, Mademoiselle*, das ist ein Kompliment in Frankreich, das sollten Sie genießen. Würden die Handwerker Sie mit *Madame* ansprechen, hätten Sie ein Problem." Als Charlotte ihn ungläubig ansah, nickte er und sagte: „*Mademoiselle*, das steht für jung und schön. Und was Sie auch noch wissen sollten, Handwerker in Frankreich lassen sich nicht gerne etwas vorschreiben, sie erledigen die Arbeit am liebsten auf ihre Weise, sie sind Freiraum gewöhnt. „Tja, das habe ich gemerkt", sagte Charlotte trocken.

„Am besten ist man mit allem einverstanden, das die vorschlagen.

Ganz schlecht ist Kritik". Er lächelte breit. „Die verstehen französische Handwerker generell nicht. Aber in Frankreich gibt es auf alle Handwerksleistungen zehn Jahre Garantie, Sie können sich also darauf verlassen, dass ordentlich gearbeitet wird. So und nun", er rieb sich die Hände, „wo sind die Wände, die rausgenommen werden sollen?"

Er folgte Charlotte in das größere Häuschen. „Hier, die Wand zwischen Wohnzimmer und dem kleinen Zimmer soll raus. Die ist doch nicht tragend, oder?"

Gabriel klopfte an die Wand, schaute sich die Balkenlage der Decke darüber an und sagte: „Nein, das sollte in Ordnung sein, sie zu entfernen." Charlotte atmete erleichtert auf.

„Im ersten Stock soll auch noch eine Wand herausgenommen werden", sagte sie.

Die Holztreppe knarzte unter ihren Füßen auf dem Weg nach oben. „Das ist in Ordnung", sagte Gabriel, als sie vor der Wand zwischen den beiden kleinen Räumen standen. Charlotte sagte eifrig: „Ich zeige Ihnen unten noch, wo wir eine Terrassentür planen und ein größeres Fenster."

„Einen Moment noch", sagte der Architekt und betrat den größten der drei Räume, schüttelte langsam den Kopf. „Hm", sagte er dann, „wenn auf dieser Seite des Zimmers ein Balken ist, dann muss in dieser Leichtbauwand auch ein Balken stecken, und das ist direkt über der Wand, die Sie unten weg schlagen wollen." Er drehte sich zu Charlotte um. „Die ist dann doch tragend."

„Oh nein", sagte sie entsetzt. „Und nun? – das macht ja alle unsere Pläne zunichte."

„Dann muss dort ein Sturz eingezogen werden, das geht schon", sagte Gabriel mit seiner tiefen, beruhigenden Stimme.

170

„Nicht auszudenken, wenn die Handwerker die Wand weggehauen hätten." Charlotte stöhnte. „Ja, ja, so ist das mit den alten Häusern. Man reißt eine Wand ein, und zack, *boum*, die Decke kommt herunter." Als er Charlottes entsetztes Gesicht sah, lachte er und sagte: „So schnell fällt ein Haus nicht zusammen."

„Mir reicht's für heute, obwohl der Tag noch gar nicht richtig angefangen hat, ich mache uns jetzt erst mal einen Kaffee, also mir natürlich einen Tee", sagte Charlotte. Gabriel nickte. „Ein kleines bisschen Zeit habe ich noch, gleich kommen sicher auch die Handwerker."

25

Doch als Gabriel um neun Uhr vom Hof fuhr, waren keine Handwerker zu sehen, auch nicht um zehn. Charlotte befürchtete schon das Schlimmste; womöglich waren sie auf einer anderen Baustelle und hatten sie vergessen, oder sie waren ärgerlich auf die deutsche *Mademoiselle*, weil sie nicht nach ihrem Tempo hatten arbeiten können. Immerhin lagen noch ein paar Werkzeuge auf dem Hof – konnte man das als Zeichen guten Willens deuten? Als sie mit zittrigen Fingern Louis' Nummer wählte, sagte er: „Wir kommen demnächst wieder, bei Ihnen ist es offensichtlich nicht so eilig." „Demnächst? Was heißt das?" Charlotte sah schon die Monate ins Land ziehen.

„*Ça dépend*", sagte Louis – eine Aussage, die ihr schon bald sehr vertraut sein sollte. „Wovon hängt es denn ab?", rief sie ins Telefon. Eine müßige Frage! „Es ist eilig, sehr eilig."

Louis erteilte eine Anweisung; im Hintergrund lief ein Betonmischer, der offensichtlich mehr Aufmerksamkeit brauchte als eine deutsche *Mademoiselle*.

Charlotte hatte eine Eingebung. „Die Familie kommt, die Kinder sind noch klein, es muss vorangehen, bitte", flehte sie.

„*Oh là là, la famille, avec les enfants, pour Noël?* Die Familie, mit Kindern, sie kommt an Weihnachten?","Ja", rief Charlotte, „und die Oma kommt auch mit."

„*Alors*, wir sind morgen früh da"– er sagte nicht, „*demain matin*", er sagte, „*demäng matäng*". „*Ne vous inquiètez-pas Mademoiselle*, machen Sie sich bitte keine Sorgen."

Zwei Tage später rückten die Männer wieder an. Es wurde laut, zwischen Poltern und Hämmern waren Rufe, Flüche und manchmal auch erregtes Geschrei zu hören. Dazwischen immer wieder ein „*oh là là, oh là là*" oder ein „*merde*" oder „*putain*, verdammt." Anfangs schreckte Charlotte ständig auf, in der Annahme, es sei etwas Schlimmes passiert. Doch wenn sie sich dem Bautrupp mit bangem Blick näherte, wedelte Louis stets mit seiner Pranke, lächelte freundlich und sagte: „*Tout va bien*, alles gut." Und oft hörte sie dann kurz darauf ein geflötetes: „*que c'est beau*, ist das schön." Zuverlässig um kurz vor zwölf wurde es stets leise und unmittelbar danach verließ der Lieferwagen mit knirschenden Reifen das Gelände. Manchmal ließ es sich nicht vermeiden, ein paar Takte mehr mit den Handwerkern zu sprechen. Oft verstand Charlotte sie nicht beim ersten Mal; die Männer wiederholten zwar das Gesagte, geduldig grinsend, aber drosselten keineswegs das Sprechtempo, im Gegenteil, sie variierten allenfalls Satzstellung und Wortwahl, Silben wurden verschluckt, und im Zweifel wurden die Sätze bei der Wiederholung noch länger. Thomas klagte sie abends am Telefon ihr Leid: „Es liegt viel an den blöden *liaisons*, den Verknüpfungen, sie ziehen alles zusammen und du weißt nicht, haben sie zwei oder drei Wörter gesagt, und dann alles noch in diesem rasanten Tempo. Ich dachte, ich könnte inzwischen ganz gut Französisch, aber jetzt glaube ich, ich lern' das nie." „Du wirst dich einhören", sagte Thomas, und sie war versucht zu antworten, ich sage nur *petitmoyenougrand*.

Charlotte hatte inzwischen mit Bedauern festgestellt, dass die Franzosen die deutsche Begeisterung für Adventskränze nicht teilten. Sie hatte eine flache Schale gekauft, vier Kerzen hineingestellt und ein paar Zweige und Tannenzapfen aus dem Wald dazu gelegt, so sah es ein wenig adventlich aus. Zwei alte Körbe aus der Scheune hatte sie bis obenhin mit Walnüssen gefüllt – Walnüsse konnte man im Périgord an jeder Ecke kaufen. Oft saß sie am späten Nachmittag ein Weilchen auf dem Treppenabsatz vor dem Haus – dick eingemummelt, einen langen Wollschal um Hals und Oberkörper geschlungen, vor sich ein Glas Wein und eine Schale mit Walnüssen. Es erfüllte sie mit tiefer Zufriedenheit, dass sie es schaffte, die Nüsse mit den Händen zu knacken. Erst wenn ihre Finger zu sehr schmerzten oder die feuchte Kälte zu durchdringend wurde, ging sie ins Innere von *la petite Rosalie*. Dann zündete sie Kerzen an, hielt einen Zweig in die Flamme und genoss den Tannennadelduft.

Gabriel hatte Recht gehabt, die Männer arbeiteten zuverlässig, es ging gut voran, und so fiel es Charlotte leichter, für die vielen nötigen Besorgungen und Behördengänge den Hof zu verlassen. Der Architekt hatte ihr eingeschärft, sich im Dorf möglichst häufig sehen zu lassen, also dort einzukaufen und den Wochenmarkt zu besuchen. „Auf dem Land läuft alles über persönliche Kontakte, *Charlott*." Das war ihr klar, aber wirklich wohl fühlte sie sich nicht im Dorf. Am liebsten hätte sie sich ein Schild umgehängt: 'Mein Mann und meine Kinder kommen bald nach'. Ab und an fragte sie sich, wie es um die Aufgeschlossenheit der Franzosen gegenüber den Deutschen bestellt war. Gab es in der älteren Generation noch Ressentiments? Als sie Gabriel auf das Thema ansprach, sagte er: „Es ist ein großes Glück, dass Franzosen und Deutsche sich vertragen. Aber es gibt immer einige, die das anders sehen." Bei Eduard und Philippe hatten sie von Anfang an keine Vorbehalte gespürt. Vielleicht weil sie schon bei der ersten Begegnung von ihrem in Frankreich geborenen Opa erzählt hatte?

Für den Moment fühlte sie sich jedenfalls in den Städtchen Sarlat und Salignac wohler. Besonders liebte sie die Morgenstunden. Wenn Straßen und Plätze in Sarlat noch unbelebt waren und dann das Leben langsam erwachte, wenn plötzlich das Metallrollo vor dem *Tabac* mit einem energischen Ruck klappernd hochgezogen wurde und ein paar Stühle und Tische vor dem Restaurant zurechtgerückt wurden. (Es gab immer ein paar Verrückte, die draußen sitzen wollten, mitten im Winter.) In Salignac waren die Parkplätze vor dem langgestreckten Gebäude des *Café des Voyageurs* am Ortseingang schon frühmorgens alle belegt. Man traf sich dort auf einen schnellen Kaffee vor der Arbeit, tauschte die neuesten Neuigkeiten aus, verzehrte im Stehen ein Hörnchen und wischte sich im Hinausgehen die noch warmen Krümel von der Brust. Als sie das erste Mal mit klopfendem Herzen das Café betreten hatte, hatte der bärtige Typ hinter der Bar kurz die Augenbrauen hochgezogen, und als sie um einen Tee bat, blieben die Brauen für lange Zeit oben. Der Mann öffnete den Mund, schloss ihn aber gleich wieder und schob ihr kurze Zeit später wortlos den Tee über den Tresen. Und dann hatte sie noch um Milch gebeten! Beim Hinausgehen hörte sie, wie er zu einem jungen Mann an der Theke sagte: „*Ils sont bizarres, les Anglais.*" Nun gut, man hielt sie für eine bizarre Engländerin, es gab Schlimmeres.

Dass sie eine typische Deutsche war, wurde ihr beim Autofahren bewusst. Jedes Mal, wenn sie an einem Zebrastreifen hielt und ihr überschwänglich gedankt wurde, musste sie an ihre Zugbekanntschaft denken. Es stimmte – so wenig wie Fußgänger bei Rot an der Ampel warteten, so wenig scherten sich Autofahrer um querende Passanten. Wozu hatten die Franzosen überhaupt Ampeln?

Manchmal bedurfte es nur eines solchen (oder ähnlichen) kleinen Moments, und das Heimweh schlich sich von hinten an und überfiel sie mit Macht. Besonders schmerzlich vermisste sie die deutsche Adventszeit mit ihrer besinnlichen Stimmung. Anfang Dezember deutete in Frankreich nichts darauf hin, dass man sich Weihnachten näherte. Ab Mitte Dezember schienen die Menschen ausschließlich darauf bedacht, Kühlschränke und Speisekammern zu füllen, mit Gänsestopfleber, Wein, Käsedelikatessen und den Zutaten für den unerlässlichen Weihnachtskuchen, den *bûche de noël*. Du wolltest raus aus alten Mustern, in eine andere Kultur eintauchen, redete Charlotte sich dann zu. Du wolltest leben, wo andere Urlaub machen. Nur dass es sich gerade so gar nicht nach einem attraktivem Urlaubsziel anfühlte.

Doch es gab auch Anlässe, die sie zuverlässig aufheiterten. Wenn sie den größten Teil ihrer Erledigungen gemacht hatte und der Vormittag fast um war, tauchten die Boulespieler auf. Alte Männer mit verwitterten Gesichtern, ausgebeulten Cordhosen, dicken Strickjacken und Baskenmützen versammelten sich rund um die Spielfelder und versuchten mit ihren Kugeln die *Cochonnette*, das Schweinchen, zu treffen. Dabei debattierten sie über den Lauf der Kugeln ebenso wie über den der Welt. Aber niemals gleichzeitig, das Spiel wurde mit äußerster Ernsthaftigkeit betrieben und wurde begleitet von Verwünschungen, Flüchen und ab und an Gelächter. Die unter knorrigen Olivenbäumen in ihr Spiel vertieften Männer zu beobachten, erfüllte Charlotte mit großer Freude. In diesen Momenten fühlte es sich nach der richtigen Entscheidung an, ja, sie war am richtigen Platz.

Und dann sah sie eines Nachmittags, es dämmerte bereits, eine Gruppe älterer Menschen vor einem Antiquitätenladen rund um einen Tisch aus schimmerndem Kirschholz sitzen. Auf dem Bürgersteig, alle auf antiken Stühlen, in dicke Wintermäntel gehüllt. Nur ein alter Mann saß auf einem mit Cord bezogenen Sessel, er hatte zusätzlich eine Decke über die Beine gelegt. Ein Hund lag eingerollt auf dem Schoß einer Frau. Die Doppeltüren des Ladens waren weit geöffnet, und im Vorbeigehen konnte Charlotte Leitern und Farbtöpfe im Inneren erspähen. Erst jetzt sah sie, dass auf dem Tisch gut gefüll-te Gläser standen und mehrere Flaschen Wein. Sogar zwei Stehlampen hatte man nach draußen gestellt, offensichtlich war eine längere Zusammenkunft auf dem Bürgersteig geplant. Charlotte lächelte im Vor-beigehen in die Runde, der Mann mit der Decke hob sein Glas und prostete ihr zu. „*Santé Mademoiselle*.“

Begeistert und beschwingt fuhr sie nach Hause, das war das *savoir-vivre*, das sie sich von diesem Land erhofft hatte. Noch schöner wäre es gewesen, diese Freude mit jemandem zu teilen.

26

Kurz vor den Weihnachtstagen schaute sich Louis auf Charlottes inständiges Drängen hin endlich *la petite Rosalie* an.

„Oh, oh, oh", sagte er und wiegte bedenklich den Kopf, „*cela prendra du temps*, das wird dauern, *Mademoiselle, et ça va prendre coûte*."

„Mit welchen Kosten müssen wir rechnen, Louis?"

„*Ben*, das Haus ist in einem desolaten Zustand. Das Dach muss neu gedeckt werden, die Fassade ausgebessert werden." Er breitete die Arme aus, drehte die Handflächen nach oben, reckte den Kopf vor, riss die Augen auf. Als wolle er sagen, was haben Sie denn erwartet von so einer Ruine.

„Für Dacharbeiten ist ein Gerüst vorgeschrieben, nicht wahr?" „*Ça dépend*." Louis kratzte sich am Kopf. Oh wie sie diese Aussage inzwischen hasste! Wovon hing es ab?

„Ist das teuer?", fragte Charlotte und dachte an ihren Kontostand. Louis schnalzte mit der Zunge.

„*C'est tout à fait relatif*" – eine Variation von *ça dépend*. Charlotte sah ihn fragend an. Louis legte ihr die Hand auf den Arm und sagte gönnerhaft: „Jetzt entspannen Sie sich mal Mademoiselle, Sie haben doch uns."

Ich bin entspannt, wollte Charlotte protestieren. Was hieß entspannt, *décontractée*? Das klang komisch. „*Je suis saloppe*", sagte sie mit Nachdruck. Auf Louis' Gesicht breitete sich ein Grinsen aus, er musterte sie von oben bis unten, dann drehte er sich um, Charlotte sah seine Schultern beben. Kurze Zeit später schüttelten sich auch seine Kumpels aus vor Lachen, schauten immer wieder zu ihr herüber. Als sie *saloppe* im Wörterbuch nachschlug, las sie: 'Schlampe'. *Détendu* wäre angemessen gewesen, oder *relax*. Ach, sollten die Männer doch ihren Spaß haben, sie war *relax*, auch wenn die Neuigkeiten Zeit- und Finanzpläne durcheinander brachten. *C'est la vie Charlott, la vie en France.*

Sie freute sich riesig auf den Besuch ihrer Familie, auf das Wiedersehen mit den Kindern – dem Zusammentreffen mit ihrem Mann sah sie etwas beklommen entgegen. Aber die Aussicht, sich mal wieder differenzierter ausdrücken zu können in ihrer Muttersprache, war großartig. Die kleinen Pläuschchen – sie hatte mehrmals Eduard und Philippe besucht, sie kannte inzwischen ein paar Leute aus dem Dorf, und Gabriel kam öfter vorbei – waren zwar nett, ersetzten aber keineswegs ein echtes Gespräch. Ernsthaft und tiefgehend diskutieren, das fehlte ihr. Emotionale Feinheiten ausdrücken. Oder mal wieder unkompliziert drauf los reden und sich auf Anhieb verstehen. Witze machen, schlagfertig antworten, sich im Gespräch die Bälle zuwerfen – gerade das war zwischen Thomas und ihr immer besonders gut gelaufen. Wie lange würde es dauern, bis sie das wieder hinbekommen würden? Sie würden es doch hinbekommen, oder?

Kaum war zwei Tage vor Weihnachten das Campingmobil in den Hof gerollt, als Emily als erste heraussprang und laut rief: „Wo ist Leo?"

„Hallo, ich freue mich auch sehr, dich zu sehen",
sagte Charlotte und trat einen Schritt näher. Emily
umarmte sie flüchtig und sagte: „Wo ist er denn?"
Und dann ängstlich hinterher: „Geht es ihm gut?"
„Er lebt bei Eduard und Philippe, das sind seine
Herrchen.",,Aber die leben doch in einem kleinen
Haus, und er hat hier viel mehr Freiraum", rief Emily so
entsetzt wie entrüstet.

Anton stürzte in die Arme seiner Mutter, Charlotte
drückte ihre Nase in seinen Haarschopf, zog aber
abrupt den Kopf zurück, warf Thomas, der inzwischen nähergekommen war, einen irritierten Blick
zu. Duschen hatte offensichtlich länger nicht mehr
auf dem Plan gestanden und das, obwohl das Thema
Körperpflege hier nicht gerade einfacher würde. Sie
seufzte, zwang sich zu einem Lächeln und küsste
ihren Mann auf die Wange. Als Anton sie losgelassen
hatte, umarmten sich die Eltern, behutsam, auf Abstand, als sei einer von ihnen verletzt, aber auf gewisse Weise waren sie das ja beide.

„Brrr, ganz schön frisch hier." Thomas rieb sich
die Hände. Emily und Anton stürmten los, Richtung
la petite Rosalie. Charlotte schaute ihnen hinterher und
sagte: „Als ich ankam, war es kälter, ich finde es
ganz angenehm. Wie war die Fahrt?" „In Ordnung",
brummte Thomas. Er zupfte an seinem Ohrläppchen, Charlotte trat von einem Bein aufs andere.
Zum Glück drehten die Kinder um und kamen zu
ihnen zurück. „Ich habe es ein bisschen nett gemacht im Häuschen", sagte Charlotte. „Du willst
sicher dort schlafen, Emily."

Emily zuckte zurück. „Was? Wieso? Nein", sagte sie empört. „Ich schlafe mit euch im Wohnmobil. Willst du mich loswerden, Mama?" Charlotte wollte zu einer Erklärung ansetzen, doch Thomas schüttelte den Kopf. Lass es, hieß das, du machst es nicht besser. Sie unterdrückte ihren Unmut über Unterstellung und Bevormundung.

Emily erklärte, sofort die Brüder besuchen zu wollen, was in Wirklichkeit natürlich bedeutete, Leo zu besuchen. Anton war kurz unschlüssig, schwankte zwischen seiner geliebten Scheune und ihren Gerätschaften und dem Wunsch, seiner Schwester zu folgen. Dann trollten sich beide. Charlotte und Thomas standen sich gegenüber, Beklemmung hob sich wie Nebel aus taunassen Wiesen, drohte sich zwischen ihnen auszubreiten.

Thomas räusperte sich. „Ich bin froh, dass du vorgefahren bist, Lotte. Und dass es mit der Renovierung gut vorangegangen ist."

Sie nickte und wollte sagen, ich zeige dir alles, stattdessen sagte sie: „Komm, wir schauen uns alles an."

Beim Gang über das Gelände brachten sie sich gegenseitig auf den neuesten Stand der Entwicklungen in Deutschland und Frankreich, und langsam löste sich die Spannung. Thomas lachte, als Charlotte ihm erzählte, wie sie Louis auf Trab gebracht hatte. „Ich habe von kleinen Kindern und einer gebrechlichen Oma erzählt und schon ging's vorwärts."

„Das scheint in Frankreich ebenso wie in Italien zu funktionieren, zum Glück", sagte er. Er griff nach seinen Ohrläppchen und zog die Mütze tiefer ins Gesicht.

„Nun ist die Oma krank geworden und daheim geblieben, und die Kinder brauchen keine Windeln mehr, da hat er mich völlig falsch verstanden – kommt ja öfter vor in diesen Tagen." Charlotte kicherte, nach wie vor ein wenig nervös.

„Lotte", Thomas blieb stehen, schaute sie an, „ich hatte im Sommer erhebliche Bedenken. Ich habe mich gefragt, ob wir diese Entscheidung nicht überhastet getroffen haben. Ob wir uns nicht finanziell übernehmen. Packen die Kinder das? Was tun wir ihnen mit diesem Umzug an? Sind wir insgesamt zu blauäugig? Ja, ich hatte tiefe Zweifel, ob wir unterschreiben sollen. Deshalb hatte ich nicht mit Reuss gesprochen." Er zupfte an seiner Mütze, die immer wieder über die Ohren rutschte.

Charlotte, die gerade einen Stein aufgehoben hatte und mit dem Daumen über die Oberfläche fuhr, ließ ihn fallen und blickte auf. „Du? Du hattest Zweifel? Aber warum hast du denn nichts gesagt?"

„Ich wollte dir meine Sorgen nicht aufhalsen. Du warst dir so sicher."

„Ach Thomas", sagte Charlotte, „wenn du wüsstest. Ich hatte böse Einbrüche, ich habe mich nicht getraut, mit dir darüber zu reden." Sie starrte auf den Boden, hob den Stein auf, ließ ihn von einer Hand in die andere fallen. Dann zuckte sie mit den Schultern. „Wahrscheinlich wollte ich nicht hören, dass du dir auch nicht mehr sicher bist." Sie drehte sich zu ihm, sah ihm in die Augen und holte tief Luft. „Thomas, findest du, dass wir einen Fehler gemacht haben?"

Er ließ sich einen kleinen Moment Zeit (Charlotte erschien dieser Moment ewig lang), dann schüttelte er den Kopf. „Auf der Fahrt hierher fühlte es sich an wie Nachhausekommen, die Landschaft ist wunderschön, selbst jetzt, im Winter. *La grande Rosalie* ist auf gutem Weg, und ich habe jetzt ein Bild davon, wie es hier mal sein wird. Von uns als Familie. Und von uns beiden, als Gastgeber, als gutes Gespann. Das sind wir doch, Charlotte?"

Sie nickte und warf die Arme um seinen Hals, so stürmisch, dass er fast das Gleichgewicht verloren hätte. Dann sagte sie: „Übrigens, *la petite Rosalie* benötigt nicht nur neue Rohre, neue Leitungen, auch das Dach muss komplett erneuert werden – das ganze Programm. Die Renovierung wird sich viel länger hinziehen als geplant."

Er zupfte sich am Ohrläppchen. „Damit habe ich gerechnet, du weißt, was das heißt?" „Wir werden wahrscheinlich im Sommer nur *la grande Rosalie* vermieten können", sagte sie achselzuckend. Dann lächelte sie. „Es ist in Ordnung. Aber ich bin froh, dass ich die Urlaubsvertretungen in der Physio-Praxis machen kann."

„Ende Februar komme ich aus dem Vertrag", sagte er und sah sie forschend an. Sie griff nach seiner Hand. „Auf geht's, es gibt viel zu tun.

Am nächsten Morgen erwachte Charlotte mit breitem Lächeln und eiskalter Nase. Wie zwei verliebte Teenies, die nicht von ihren Eltern erwischt werden wollen, hatten Thomas und sie die vergangene Nacht verbracht – nur dass sie nun die Eltern waren und ihre Kinder nichts mitbekommen sollten. Sie räkelte sich wohlig bei der Erinnerung und kroch ein wenig tiefer in den Schlafsack, die Kälte wollte aber nicht weichen. Sie tastete nach Thomas und stellte fest, dass er nicht mehr neben ihr lag. Als sie sich vorsichtig aufrichtete, kam Thomas näher und flüsterte: „Die Gasflasche ist leer, ich muss ein neues Verbindungsteil besorgen. Ich fahre gleich los." Er drückte ihr einen Kuss auf den Mund, sie fasste seinen Kopf mit beiden Händen und hätte ihn am liebsten noch viel näher zu sich herangezogen.

Charlotte lief rüber zu *la petite Rosalie* und warf die Heizung an, deckte den kleinen Tisch. Um diese Uhrzeit wäre es sicher nicht voll im *brico*, Thomas würde bald zurück sein. Tatsächlich kam er sehr schnell wieder, hielt triumphierend ein Verbindungsteil in die Luft. Zu früh gefreut, das französische Teil passte nicht ins deutsche Wohnmobil, hier versagte die deutsch-französische Verständigung. Sie versagte komplett, denn ebenso passte das deutsche Verbindungsteil nicht auf die französischen Gasflaschen, die Thomas später besorgte. So fuhr er zähneknirschend ein drittes Mal zum Baumarkt, um ein Verlängerungskabel und eine kleine Elektroheizung mit Gebläse zu kaufen. Als er wiederkam, sagte Charlotte feierlich: „Jetzt bist du ein echter Franzose." Als er sie verständnislos anschaute, erklärte sie: „Die lieben nämlich den *brico* mit allen seinen Gerätschaften."

Am nächsten Morgen war es noch ein paar Grad kälter, der Himmel war bleigrau, auf den Pfützen hatte sich eine kleine Eisschicht gebildet, die unter ihren Füßen knackte. Passend dazu war die Stimmung der Kinder auf dem Tiefpunkt; Emily maulte ununterbrochen und fragte, was man denn in diesem schrecklichen, kalten Land überhaupt Sinnvolles machen könnte. Und dauerhaft hier leben, das sei ja unvorstellbar. Selbst Anton kam nach kurzer Zeit aus der Scheune zurück und jammerte über die Kälte. Als Charlotte dann noch vorschlug, Weihnachten auf französische Art zu feiern, also erst am 25. Dezember die Geschenke zu übergeben, erntete sie einen Sturm der Entrüstung.

„Erst verschleppt ihr uns hierher, wir müssen Weihnachten in diesem doofen Land feiern, und dann wollt ihr uns noch die einzige Freude nehmen?" Emily verschluckte sich fast vor Empörung. Charlotte verdrehte die Augen und hob abwehrend die Hände. „War ja nur eine Idee", murmelte sie. „Keine gute", sagte Thomas.

Aber dann fuhren sie nachmittags nach Sarlat, zum Weihnachtsmarkt, und als sie durch das Weihnachtsdorf im Herzen der Stadt liefen, wurden alle ganz still. Rund fünfzig geschmückte Holzchalets, in denen man handwerkliche Produkte, Schmuck, Kleidungsstücke und Dekoration erwerben konnte, und weihnachtliche Beleuchtung sorgten auf allen Plätzen und in allen Gassen für eine zauberhafte, geradezu magische Atmosphäre. Überall konnte man die kulinarischen Spezialitäten des Périgord erwerben. Der Duft gebrannter Mandeln mischte sich mit dem Geruch gerösteter Esskastanien und dem gegrillten Fleischs. Mit Glühwein und Kinderpunsch wärmten sie sich ein wenig auf, die Kinder knabberten Mandeln, die Eltern teilten sich einen Drehspieß.

Charlotte erzählte, dass der Markt jedes Jahr einem anderen Land gewidmet war und dass er der zweitgrößte in Aquitanien war. „Und das Beste, anders als die Weihnachtsmärkte in Deutschland ist er bis Ende Dezember geöffnet."

„Wir gehen also noch mal hierher?", fragte Anton aufgeregt. „Ganz bestimmt, vor allem wenn ihr die nächste Attraktion gesehen habt", sagte Charlotte geheimnisvoll und zog ihre Familie weiter durch die Gassen. Plötzlich standen sie vor einer Schlittschuhbahn, auf der Kinder und Erwachsene ihre Bahnen zogen. Sehnsüchtig schaute Emily zu, wie Pirouetten gedreht wurden und Kinder in ihrem Alter sich am Rückwärtslaufen versuchten. Sie seufzte. „Mal wieder Schlittschuh laufen wäre schön."

„Tataa", sagte Thomas, öffnete seinen Rucksack und holte vier Paar Schlittschuhe heraus. „Oh", sagte Anton, schwankend zwischen Begeisterung und Besorgnis, „ich kann doch noch gar nicht ..." „Keine Sorge, Mama und ich nehmen dich zwischen uns."

Mit geröteten Wangen, steif gefrorenen Fingern und leicht schmerzenden Gliedern kehrten sie spätabends zum Hof zurück. Und natürlich wurde es doch ein wunderschönes Weihnachtsfest. Am zweiten Weihnachtstag, sie lagen alle noch ihren Kojen, hörten sie es draußen klopfen und hämmern. Thomas öffnete die Tür und lauschte. „Lotte, was hast du mit den Handwerkern verabredet?", rief er in das Innere des Wohnwagens. „Ich, wieso?", fragte Charlotte, die sich schlaftrunken näherte. Sie schlüpften rasch in ihre Klamotten und liefen über die Wiese zu *la grande Rosalie*.

„Louis, Alphonse, was machen Sie hier?" „Was wir hier machen?" Die beiden Handwerker schauten sie verständnislos an, Alphonse zog seine Mütze tiefer ins Gesicht und griff nach seinem Vorschlaghammer.

„Fröhliche Weihnachten", sagte Thomas. „Weihnachten? Weihnachten war gestern", sagte Louis, „heute ist Arbeitstag."

Charlotte griff nach Thomas' Arm. „Ich erinnere mich dunkel, es gibt in Frankreich nur einen einzigen Weihnachtstag, auch an Heiligabend wird regulär gearbeitet." Sie wandte sich zu Louis. „Bei uns ist heute Feiertag", sagte sie und korrigierte sich hastig: „In Deutschland ist heute Feiertag."

Als sie am Nachmittag den Männern wie immer Kaffee und Kekse (heute Christstollen und Zimtsterne) vorbeibringen wollte, da waren sie aber schon verschwunden – hatten sie sich allzu gern deutschen Gepflogenheiten angepasst?

27

Zu Silvester hatte Gabriel sie, zusammen mit Eduard und Philippe und seinem Bruder Maurice, zu einem schönen französischen Essen eingeladen. Maurice und er würden eine Lammkeule zubereiten. „Unter anderem", sagte er verschmitzt. Als Charlotte fragte, ob sie helfen könnten, etwas beisteuern sollten, wies er das entrüstet zurück. Nun, sie würden einen Weg finden, sich zu revanchieren.

In Erwartung des mehrgängigen Menues aßen sie mittags nur ein Süppchen und nachmittags etwas Obst.

Als sie sich um neunzehn Uhr Gabriels hell erleuchtetem Anwesen näherten, rief Emily: „Wow, was für ein Haus." Anton geriet völlig aus dem Häuschen, als er den alten Citroën vor der Garage stehen sah. „Die Franzosen haben so coole Autos." Die Tür wurde ihnen von Eduard geöffnet, dicht hinter ihm wartete Leo; als die Kinder sich zu ihm hinunter beugten, schleckte er ihnen ausgiebig das Gesicht ab. Eduard führte sie in einen großen, langgestreckten Raum mit hohen Decken und bodentiefen Fenstern. Philippe saß, nein thronte, in einem ausladenden, mit dunkelrotem Samt bezogenen Sessel. Er senkte huldvoll den Kopf, dann hob er seinen Stock und schwenkte ihn ein wenig, eine der Umgebung angemessene Begrüßung. Anton, sonst stets forsch voraus, blieb abrupt stehen und schaute sich staunend um. Die Längswände zierten riesige Teppiche mit Jagdszenen, auf dem schimmernden Fischgrät-Parkett standen dickbauchige Bodenvasen mit

Kunstblumen; im Kamin knisterte ein Feuer, das den Duft von Holz und Harz verströmte. Über einem großen dunklen Tisch hing ein Kronleuchter von beeindruckenden Ausmaßen. „Wie in einem Schloss", flüsterte Anton. Eduard und Philippe konnten das unmöglich verstanden haben, aber sie lächelten beide.

Maurice stand am Herd und hielt ihnen zur Begrüßung nur kurz seinen Ellenbogen hin. Er war nicht ganz so schlank wie sein Bruder, ein Kranz weißer Haare ließ ihn deutlich älter aussehen als Gabriel. Unter einer gestreiften Schürze trug er braune Cordhosen und einen beigen Kaschmirpullover, auf dem Kopf eine frisch gestärkte weiße Kochmütze. Es duftete köstlich nach geröstetem Fleisch, nach Rosmarin und Knoblauch, darunter mischte sich ein Hauch von Zitrone, den Gästen lief das Wasser im Mund zusammen.

Knapp zwei Stunden später, es war inzwischen kurz vor neun, fragten die sich, ob sie irgend etwas falsch verstanden hatten. Charlotte fühlte sich schon zittrig vor Hunger. In dem Moment kam Gabriel mit einem Holzbrett und zwei Baguettes aus der Küche und sagte: „ *Bon*, es geht los."

„Soll ich das Brot schneiden?" Thomas trat an den Tisch und sah Gabriel fragend an. „Um Gottes Willen", wehrte der ab, „man schneidet kein Brot, man bricht es."

Für das lange Warten wurden sie fürstlich entschädigt. Nach einer klaren *consommé* tischten Gabriel und Maurice Räucherlachs und Jakobsmuscheln auf, gefolgt von der Lammkeule als Hauptgang. Dazu gab es *haricots verts*, grüne Bohnen. Wie oft hatte Charlotte schon versucht, Bohnen von ähnlicher Qualität in Deutschland zu kaufen. Es war ihr noch nie gelungen. Nach einer üppig bestückten Käseplatte wurden als Dessert *tarte au citron* und eine *mousse au chocolat* serviert. Ein Blick in Antons Gesicht genügte, und Maurice verschwand erneut in der Küche und kam mit einer großen Portion Eis zurück, was ihm ein „großartig" von Anton einbrachte.

Mittlerweile ging es stramm auf Mitternacht zu. Charlotte schaute immer wieder auf die Uhr, keiner machte Anstalten, den Fernseher oder das Radio einzuschalten oder etwa Champagnergläser zu befüllen. Sie räusperte sich. „Es ist gleich soweit." Die fünf Männer, in ein lebhaftes Gespräch über Fußball vertieft, rührten sich nicht. Nur Thomas schaute kurz zu ihr und zuckte mit den Schultern. Anton löffelte hingebungsvoll seine zweite Portion Eis, Emily streichelte Leo, der sich auf den Rücken gerollt hatte und sich den Bauch kraulen ließ.

„Es ist gleich Mitternacht", sagte Charlotte etwas lauter. „O *là là*, das ging schnell", sagte Gabriel gleichmütig und redete weiter hitzig auf Maurice ein, es ging um Zinedine Zidanes unrühmlichen Kopfstoß beim Weltmeisterschaftsfinale gegen Italien. Vier Minuten nach Mitternacht schob er plötzlich seinen Stuhl zurück und sagte: „*Ça y est, la nouvelle année.*"

Vier Liebigs sprangen auf, die Zwillingsbrüder erhoben sich gemächlich, Maurice betupfte umständlich seinen Mund mit der Serviette, legte sie ordentlich zusammengefaltet neben seinen Teller, dann stand er ebenfalls auf. Nun ging es los mit den *bisous*, Küsschen rechts, Küsschen links; *„bonne année, bonne santé.“* Nach mehreren Runden Küssen, Wünschen, Küssen ging Gabriel in die Küche und holte Champagner: Es wurde angestoßen.

Nachdem alle sich wieder gesetzt hatten, räusperte Eduard sich mehrmals und sagte: „Wir haben einen Umzug anzukündigen.“ „Einen Umzug?“, riefen Gabriel und Maurice gleichzeitig. Gabriel setzte sein Glas ab. „Jetzt schaut euch die beiden alten Herren an. Wo soll es denn hingehen, doch nicht etwa ins *maison de retraite?“*

„Pah, wir ziehen doch nicht ins Altersheim, wir fühlen uns richtig wohl in unserem Haus, mitten im Dorf, nicht wahr Philippe“, er zwinkerte seinem Bruder zu, der etwas gezwungen lächelte. „Aber es lässt sich nicht leugnen, wir werden älter, wir sind nicht mehr so gut zu Fuß.“ Er kratzte sich am Kopf. „Deshalb haben wir beschlossen, dass Leo umziehen soll, zurück auf den Hof. Er braucht Bewegung und Anregung. Er liebt Emily, und wir sind sicher, er wird es gut haben in seinem alten Zuhause.“

„Und ich liebe ihn“, rief Emily entzückt und drückte Leo an sich, der bei der Nennung seines Namens erst die Ohren gespitzt hatte und dann aufgestanden war. „Für *Charlott* ist es auch gut, in der Zeit bis zum Umzug der kompletten Familie nicht allein auf dem Hof zu sein“, sagte Philippe.

„Aber es ist mein Hund“, sagte Emily, „nicht wahr? Mama, du hast mir einen Hund versprochen.“ „Leo gehört sich selbst“, sagte Thomas, „aber du bist sein Frauchen, das sieht hier jeder." Er zwinkerte den Brüdern zu, Eduard wirkte ein wenig melancholisch. Charlotte schaute zu Anton, sann er darüber nach, was er für sich raushandeln könnte? Das bildete sie sich bestimmt nur ein.

Am nächsten Tag wurde Leo umgesiedelt, mit flappenden Ohren und hängender Zunge flog er geradezu über den Hof, schnüffelte in jeder Ecke und ließ sich ausgiebig von Emily bürsten und streicheln. Die Ohren gespitzt, verfolgte er seine Trainingseinheiten und genoss es sichtlich, wenn die Kinder ein neues Kunststück von ihm bejubelten. Die Kälte und der schneidende Wind waren kein Thema mehr; Anton und Emily waren fast den ganzen Tag draußen und das in lange nicht mehr dagewesener Eintracht.

Thomas sprach viel mit den Handwerkern oder ging ihnen zur Hand, wenn es sich anbot. Gemeinsam mit Charlotte entrümpelte er die Scheune, die verbliebenen Reste stapelten sie in einer Ecke, so dass einem Durchbruch zum Häuschen nun nichts mehr im Wege stand. Abends saßen sie an dem kleinen wackeligen Holztisch in *la petite Rosalie* und brüteten über Bauzeichnungen, erstellten To-do-Listen und machten Zeitpläne.

Am Tag der Abfahrt schlichen Emily und Leo umeinander herum, Emily tieftraurig, Leo zunehmend irritiert. Thomas und Charlotte hatten die Wochen friedlichen Beisammenseins zutiefst genossen und waren sich schmerzlich bewusst, dass nun wieder jeder für sich gucken musste, wie er klarkam.

Nur Anton war vergnügt, er freute sich auf seine Freunde und auf drei Kindergeburtstage in den nächsten Wochen. Das wiederum machte seinen Eltern eher Sorgen. Wie würde es für ihn sein, die neu geknüpften Freundschaften wieder aufzugeben?

Als das Campingmobil leicht schwankend den Hof verließ, lief Leo ein ganzes Stück hinterher, und als er zu Charlotte zurückgekehrt war, setzte er sich zu ihren Füßen, jaulte leise, legte den Kopf schief und schaute sie fragend an. „Sie kommen bald wieder, und dann bleiben sie", murmelte sie und kraulte ihn ausgiebig hinter den Ohren. Bald, das bedeutete in rund acht Wochen. Wochen voller Arbeit, hier wie dort. Sie ging mit Leo ins Häuschen und steckte ihm ein paar Leckerlis zu, sich selber tröstete sie mit Weihnachtskeksen, die inzwischen mürbe waren und muffig schmeckten.

28

Ursprünglich hatten sie geplant, dass Charlotte für den Umzug noch einmal nach Deutschland zurückkehrte, aber den Plan hatten sie verworfen. Es war nicht nötig, dass sie in Wiesbaden war, es gab kaum etwas einzupacken außer Anziehsachen und Hausrat. Sie würden noch eine Weile im Wohnmobil wohnen, Möbel waren nicht nötig. Allenfalls für Emilys geplanten Eisenbahnwaggon könnten ihr Bett und ihr Schreibtisch nützlich sein. Falls sie bis April einen Waggon hätten, könnten Thomas' Eltern das Nötigste mitbringen. Sie hatten überraschend angekündigt, sie Ostern zu besuchen. Es war eine gute Gelegenheit, da Thomas' ältester Bruder dann bei Moritz, dem jüngsten Bruder, wohnen konnte.

Aber Charlottes Suche nach einem Eisenbahnwaggon hatte nach wie vor nicht zu einem Ergebnis geführt. Einmal hatte sie im Internet einen wunderschönen Waggon entdeckt. Ihr Herz schlug heftig, aber dann stellte sie fest, dass er in der Bretagne stand und somit ein Transport illusorisch war. Bauwagen gab es in der näheren Umgebung, aber jedes Mal, wenn sie Emily am Telefon darauf ansprach oder ihr Fotos per E-Mail schickte, stellte die sich stur und beharrte darauf, dass ihre Mutter ihr einen Eisenbahnwaggon versprochen hatte.

„Wenn ich nichts finde, wird es erst einmal auf Wohnen im Campingmobil hinauslaufen", sagte Charlotte eines Abends ermattet zu ihrer Tochter am Telefon.

„Ich kann doch in *la petite Rosalie* wohnen", entgegnete Emily.

„Sobald ihr hier seid, wird dort mit der Renovierung begonnen, das weißt du doch." Ein unwilliges Knurren war die Antwort. „Du machst es mir nicht gerade leicht, Emily." „Du sagst immer, man wächst mit seinen Aufgaben", war die patzige Antwort. Thomas meinte, sie wird es schon akzeptieren, wenn es ein Bauwagen ist.

Die Rettung nahte – mal wieder – in Gestalt von Gabriel. Anfang Februar tauchte er auf dem Hof auf. Dieses Mal trug er zu einem eleganten dunkelblauen Mantel einen in blaugrau Tönen geringelten Strickschal, das eine Ende locker über die Schulter geworfen. Dazu ein verschmitztes Lächeln im Gesicht – wie Sean Connery zu seinen besten Zeiten.

„Ich habe das Passende gefunden für euer Mädchen, einen tollen Wagen", sagte er, „und er steht ganz in der Nähe." „Oh Gabriel", hauchte Charlotte überwältigt, „wie haben Sie das denn geschafft, ist es ein echter Eisenbahnwaggon?"

„Hm", sagte er und zuckte in der typischen Art der Franzosen mit der Schulter, kratzte sich am Ohr. „Ein Eisenbahnwaggon ist es nicht, es ist ein Zirkuswagen." Als er Charlottes zweifelnde Miene sah, sagte er, „*Charlott*, ich bin mir sicher, er wird Ihnen gefallen."

„Mir muss er nicht gefallen", sagte Charlotte seufzend, „das Problem ist meine Tochter."

„*Oh la vache*", sagte er entrüstet, „oh mein Gott, ihre Tochter ist doch kein Problem! Sie ist ein reizendes Mädchen, und sie wird den Zirkuswagen lieben. Wollen wir hinfahren, haben Sie Zeit?"

Als Charlotte zu ihm in den alten Citroën stieg, hatte sie das Gefühl, sich neben einen guten Freund zu setzen.

Der dunkelrot angestrichene Wagen, der auf beiden Seiten mehrere Sprossenfenster und eine orangefarbene Tür mit einer Treppe davor hatte, befand sich auf der Wiese eines alten Bauernhofs. Die Besitzerin zeigte ihn voller Stolz und pries ihn als historischen französischen Zirkuswagen an. Über der Eingangstür stand inmitten einer geschwungenen, weißgrundigen Banderole in bunten Buchstaben *L'entrée des artistes*. Charlotte war begeistert, schon bevor sie ihn von innen gesehen hatte. Dunkelrot, Emilys Lieblingsfarbe! Auch im Inneren war der Wagen in einem ausgezeichneten Zustand, es gab sogar ein Spülbecken mit Unterschrank. An der gewölbten dunklen Holzdecke hing eine Lampe, an den Deckenteilen rechts und links zog sich ein schmales Band kleiner Fenster entlang. An den Seitenwänden und vor Kopf, im weiß getäfelten Halbrund, über einem breiten Podest mit einem Bettkasten, gab es weitere Fenster. Für ein wenig Patina im perfekten Ambiente sorgten die leicht abgetretenen Fußbodendielen.

Charlotte war sprachlos. Am liebsten hätte sie sofort nach dem Preis gefragt, aber sie traute sich nicht. Gabriel, der ihre Nöte offenbar ahnte, nickte ihr beruhigend zu.

„Wir wollen auf dem Gelände bauen", sagte die Besitzerin, eine Frau in Charlottes Alter, mit rosigem

Teint, der gar nicht zu ihren strengen Gesichtszügen und dem festgezurrten Haarknoten passen wollte. „Wir brauchen Platz. Um den ist es nicht schade", sie zeigte auf einen trist aussehenden Bauwagen mit abblätternder grauer Farbe, der Charlotte bisher nicht aufgefallen war. „Aber dieses Schmuckstück", sie deutete auf den Zirkuswagen, „wüssten wir gerne in guten Händen."

„Wollen Sie den auch verkaufen?", fragte Charlotte und zeigte auf den Bauwagen. „Den will keiner haben", sagte die Bäuerin und zuckte mit den Schultern. „Er ist in keinem guten Zustand, und schön ist er auch nicht." „Wenn Sie mir einen guten Preis machen, dann nehme ich den auch", sagte Charlotte. Die Frau schaute sie irritiert an. „Ich dachte, sie wären wegen des Zirkuswagens hier."

Gabriel gab Charlotte verstohlen einen Wink und begann mit der Frau zu plaudern, lobte das schöne Gelände, den Ausblick, erkundigte sich nach ihren Bauplänen. Das alles unter Einsatz seiner Hände und seines charmantesten Lächelns, mit vielen *liaisons* und langsam zunehmendem Tempo. Charlotte verstand nicht alles, aber sie verstand: Reizende Familie mit Kindern, Neuanfang in Frankreich, brauchen dringend Bleibe, Tochter in schwierigem Alter. Bei *fille difficile*, schwieriger Tochter, hellte sich das Gesicht der Frau auf. „*Ah oui, fille difficile*", sie nickte, und ein wissendes Lächeln umspielte ihren Mund.

„Wir könnten die Wagen in den nächsten Tagen abholen, dann können Sie hier Ihre Hausträume verwirklichen. Gabriel zwinkerte der Frau zu. „Wenn Sie uns einen guten Preis für beide machen."

Das Geschäft wurde mit einem Handschlag besiegelt; Charlotte schwebte einen halben Meter über der Erde und hätte beinahe vergessen, Fotos zu machen. Als sie, immer noch wie betäubt, in Gabriels Auto saß, sagte sie: „Ich werde keine Fotos schicken, ich werde auch nichts erzählen, ich werde beide Wagen herrichten und mich über die Gesichter meiner Familie freuen." Sie rieb sich die Hände, dann wandte sie sich zu dem Architekten. „Vielen, vielen Dank, Gabriel, ohne Sie wäre das niemals so gut gelaufen."

„*C'était un plaisir*, es war mir eine Freude", sagte er und lachte. Dann wurde er ernst. „*Charlott*, haben Sie noch einen Moment Zeit? Wenn wir hier schon in der Gegend sind, würde ich gerne einen Abstecher zum Friedhof machen, zum Grab meiner Familie."

Sie parkten vor einem doppelflügigen, eisernen Tor, das an zwei Steinsäulen befestigt war. Es quietschte, als Gabriel es aufzog.

„Sind Sie sicher, dass es ein Friedhof ist?", sagte Charlotte, „das sind ja lauter Gewächshäuser." Sie deutete nach vorn, kleine und größere Glashäuschen mit steilen Satteldächern, gebaut auf Steinsockeln, reihten sich rechts und links des Wegs aneinander. Gabriel reagierte nicht, sie folgte ihm, Kieselsteinchen knirschten unter ihren Füßen. Gabriel blieb vor einem der größeren Glashäuser stehen und faltete seine Hände wie zum Gebet.

„Ich bin lange nicht hier gewesen", murmelte er und es blieb offen, ob er es zu seiner Begleitung, zu sich oder zu seinen Angehörigen sagte. Charlotte dachte an ihren Vater, der so früh gestorben war, und an den sie sich nur schwach erinnern konnte, sie war sechs Jahre alt gewesen bei seinem Tod.

Vorne auf dem Sockel der Grabstätte stand ein Schild aus schwarzem Marmor mit der geprägten Inschrift *Famille Lavalle*. Dahinter waren unzählige steinerne Tafeln mit Sprüchen, Bibelzitaten und Widmungen aufgereiht, einige davon mit Bildern der Verstorbenen, ein weißes Täfelchen zeigte einen gezeichneten Hundekopf, ein anderes ein Motorrad. Steinerne und bronzene Engelchen und Madonnen in verschiedenen Größen, kleine aufgeschlagene Bücher, mehrere Kreuze und ein Glas mit Muscheln waren dazwischen verteilt. Charlotte erspähte im hinteren Teil ein Paar weiße Babyschuhe aus Porzellan. In Vasen steckten verstaubte Trockenblumen. Charlotte war einerseits fasziniert, mit wie viel Sorgfalt und Hingabe die Täfelchen gestaltet und zusammengetragen worden waren. Aber für sie, für ihren deutsch geprägten Geschmack, war es eine unglaublich kitschige Ansammlung. Schweigend verließen sie den Friedhof, Gabriel in sich gekehrt, fast abweisend. In Charlotte machte sich Verunsicherung breit, Heimweh klopfte an.

Als sie zum Auto zurückkehrten, hielt ein schwarzer Renault direkt neben Gabriels Citroën, eine Frau in Charlottes Alter stieg aus und grüßte. Gabriel trat auf sie zu, es entspann sich ein lebhaftes Gespräch, das gar nicht enden wollte. Gabriel zeigte mit der ausgestreckten Hand in Richtung Friedhof. Die junge Frau fasste ihn am Arm und schnalzte mitfühlend mit der Zunge.

Charlottes Schultern sanken leicht nach vorn, die Verunsicherung kroch vom Kopf Richtung Bauch, legte sich dort gemütlich ab. Sie hatte sich wohl etwas vorgemacht in Bezug auf Freundschaft und Zugehörigkeit. Sie würden immer Ausländer bleiben, Fremde, Zugezogene – strukturierte und effiziente, nüchterne Deutsche, die zu seltsamen Zeiten kochten, viel zu abrupt auf ein Thema zusteuerten und an roten Ampeln treudoof wie die Schafe stehenblieben. Und denen man sich nicht anvertraute, wenn man eines Trostes bedurfte.

Wenn Ja dann Ja, das hatte sie sich geschworen, als sie seinerzeit in Deutschland von Zweifeln gepackt worden war. Und sich besonnen hatte, dass es nicht besser werden müsse, nur anders. Aber sie musste sich eingestehen, dass sich schon wieder hinter ihrem liebevoll gepflegten Ja ein fettes fieses Fragezeichen ringelte, wie ein gut genährter Regenwurm im frisch geharkten Beet. Mit dem Mute der Verzweifelung rief sie sich in Erinnerung, dass Regenwürmer die Erde auflockerten, also zu etwas gut waren. Aber wozu sollten Fragezeichen gut sein, in diesem fortgeschrittenen Stadium ihres Projekts? Nein, ein Fragezeichen war eine Katastrophe.

Ihr wurde heiß, und sie schlug die Hände vors Gesicht. Gabriel, der sich inzwischen mit vielen *bises* von der jungen Frau verabschiedet hatte, schaute sie verwundert an.

„*Ça va, Charlott?*" Sie schreckte auf, straffte sich und nickte hastig. Als sie zu ihm ins Auto stieg, hätte sie am liebsten auf dem Rücksitz Platz genommen; es erschien ihr zwar angemessener, aber doch zu unhöflich. Sie fragte sich, ob Gabriel einen Umweg nahm, die Rückfahrt kam ihr deutlich länger vor.

29

Am Abend war Charlotte immer noch so niedergedrückt, dass sie sich nicht imstande sah, mit Thomas zu telefonieren. Schließlich hatten sie sich vor Kurzem gegenseitig versichert, dass die Zeit der Zweifel vorbei war.

Sie rief Luisa an, ihre beste Freundin, auch wenn diese ihren Auswanderungsplänen von Anfang an skeptisch gegenübergestanden hatte. Als gute Freundin hatte Luisa bisher darauf verzichtet, ihr das in Erinnerung zu rufen. Charlotte klagte ausufernd über die Finessen der französischen Sprache: „Manchmal verändert ein Buchstabe die komplette Bedeutung. *J'en doute* heißt: Ich wundere mich, ich zweifle. *Je m'en doute* heißt: Ich glaube dir, ich kann es mir sehr gut vorstellen. Das ist doch irre, ich lerne diese Sprache nie."

„Charlotte, bist du sicher, dass wir nur über Sprachschwierigkeiten reden?"

„Erwischt", rief Charlotte dumpf in Richtung Deutschland, und darüber mussten sie beide so lachen, dass es eine Weile brauchte, bis Charlotte weiterreden konnte. Sie erzählte von dem Friedhofsbesuch und Luisa sagte: „Ach so, ich dachte, es wäre etwas Gravierendes passiert. Davon hättest du dich nicht so runterziehen lassen müssen. Das kann dir auch in Deutschland passieren mit jemandem, den du erst seit kurzer Zeit kennst." Obwohl Charlotte wusste, dass die Freundin nicht ganz Unrecht hatte, fühlte sie sich nicht verstanden, sie zögerte kurz, ob sie es erneut erklären sollte. Aber es bedeutete, sich

noch intensiver mit ihren Ängsten auseinanderzuset-
zen, die sie nur mühsam in Schach hielt. Und auch
wenn sie es noch so ausführlich erklärte und sorg-
sam formulierte, sie spürte, Luisa würde es dennoch
nicht richtig verstehen. Konnte jemand, der es nicht
selbst erlebt hatte, überhaupt nachempfinden, wie es
war, irgendwo als Ausländer zu leben – wahrscheinlich nicht. Nein, jedes weitere Gespräch über dieses
Thema würde sie womöglich noch mehr herunter-
ziehen. Also ließ sie es und fragte die Freundin in
forschem Ton, was es Neues aus der alten Heimat
gäbe.

Luisa berichtete über Klatsch und Tratsch im
Freundeskreis und schwärmte von dem neuen,
schnuckeligen Fitnesstrainer im Sportstudio. Dann
erzählte sie, dass ihr Sohn Max unbedingt beim Ballett angemeldet werden wollte, was für Luisas Mann
eine mittelschwere Katastrophe war. „Da braut sich
was zusammen", sagte Luisa. „Ich häng' dazwischen
und bin mir noch nicht sicher, ob das zu dauerhaf-
tem Zoff oder zu zauberhaften *Pliés* führt." Charlotte
versuchte sich den stämmigen Max bei zauberhaften
Pliés vorzustellen und musste zugeben, sie tat sich
schwer, unterdrückte aber ein Kichern. Als sie sich
verabschiedeten, hatte Charlotte immerhin das Gefühl, es gab sie noch, die Brücke in ihr altes Leben.

Es hatte gut getan, mal wieder zu lachen, Charlottes
Klumpen im Bauch fühlte sich ein wenig lockerer
an. Und noch am selben Abend sah sie plötzlich
klarer. Was sie dieses Mal beschäftigte, waren keine
Zweifel, die Zeit der Zweifel war vorbei. Es war

Ernüchterung. Sie war der festen Überzeugung gewesen, dass das perfekte Beherrschen der Sprache der Schlüssel zu einer gelungenen Eingliederung war – jetzt wusste sie, dass dies zwar notwendig war, hinreichend war aber etwas anderes. Und darauf konnten sie kaum Einfluss nehmen. Auch mit unendlich viel Geduld würden sie es womöglich nie erreichen. Denn das war ihr Problem: Eine Mischung aus Kulturunterschieden und dem fehlenden Humus gemeinsamer Geschichte. Eine sehr schmerzliche Einsicht.

Aber was sie tun konnte, wollte sie tun. Verbissen stürzte sie sich auf das Französischlernen. Sie nahm inzwischen Unterricht bei einer ehemaligen Lehrerin im Dorf. Während der Stunden hatte sie ab und an das Gefühl, Fortschritte zu machen, aber nachmittags, 'in freier Wildbahn', gab es garantiert Situationen, in denen ihre Sprachkenntnisse total versagten, sie nur stammelnd etwas herausbrachte. Inzwischen fürchtete sie sich geradezu vor dem Klingeln ihres Handys; Telefonate erforderten höchste Konzentration, zwar verstand sie die Worte meist gut, aber dennoch begriff sie oft nicht, worauf der Gesprächspartner hinauswollte. Oder sie fühlte mehr die Absicht dahinter, als dass sie sie verstand und fragte sich, ob sie der Information trauen konnte. Manchmal sagte sie tapfer, *„oui oui, bien sûr"*, mit eingezogenen Schultern. In banger Erwartung irgendwelcher Katastrophen, die aber zum Glück nie eintraten.

Den weitaus größten Teil ihrer Zeit nahmen die Besuche bei Ämtern und Behörden in Anspruch.

Der Abschluss der Krankenversicherung brachte Charlotte an den Rand der Verzweiflung, sie fühlte sich wie in einem Irrgarten. Die Liste der Unterlagen, die zu beschaffen waren, schien sich ständig zu ändern und zu wachsen wie eine Hydra. Hatte sie ein Formular endlich zufriedenstellend ausgefüllt und mit einem Seufzer der Erleichterung abgegeben, wurde sie belehrt, dies sei Formular A, sie müsse nun Formular B einreichen. Ihre entsetzte Frage, ob es noch C und D gäbe, wurde mit einem freundlichen, aber verständnislosen Blick quittiert. Als sie endlich ihre *Carte Vitale* in der Hand hielt, fühlte es sich an wie das Überqueren der Ziellinie beim Marathon – nicht dass sie jemals einen gelaufen wäre, aber so stellte sie es sich vor. Sie schob das französische Versicherungskärtchen behutsam in ihr Portemonnaie und schwor, dass sie es niemals zum Eiskratzen verwenden würde wie seinen deutschen Vorgänger.

Tja, wenn sie geglaubt hatte, dass nur die deutsche Bürokratie besonders ausgeprägt war, so hatte sie sich gründlich getäuscht. Die Franzosen hatten eine unglaubliche Vorliebe für Formulare aller Art. Wie hatte es Gabriel kürzlich formuliert: „Wir Franzosen sind weltweit führend in Gastronomie – und in Bürokratie." Er hatte herzhaft gelacht, aber für Charlotte war es eine weitere, geradezu erschütternde Erkenntnis. Hatten sie nicht gedacht, Behördentum und Überregulierung hinter sich zu lassen?

Aber es gab auch Positives. Zwar musste sie überall elendiglich lange warten, aber wenn sie es dann endlich ans Ende der Schlange geschafft hatte, widmete man sich ihr mit einer Hingabe und Höflichkeit, die sie so in Deutschland selten erfahren hatte. Und manchmal sogar mit Begeisterung.

„*Oh là là*, Sie sind aus Wiesbaden, da war ich schon, eine wunderschöne Stadt", rief eine junge Frau und drehte den Bildschirm ihres Computers so, dass Charlotte gemeinsam mit ihr Fotos anschauen konnte; sie zeigten das Schloss Biebrich, das Kurhaus und Bilder von der Drachenbootregatta in Schierstein. „*Très joli*, sehr hübsch, dieser Hafen, die ganze Stadt." Die junge Frau geriet ins Schwärmen. Charlotte nickte, stolz und wehmütig zugleich. Als sie sich endlich verabschiedete und sich mit schlechtem Gewissen umdrehte, sah sie nur in gleichmütige Gesichter in der Schlange. Davon könnten wir uns etwas abschauen, dachte sie und lächelte den Wartenden freundlich zu.

Die Franzosen tickten in vielem anders, das wurde ihr immer klarer. Bei einem ihrer Einkäufe im *brico* hatte Gabriel sie begleitet. Als er mitbekam, wie sie auf jemanden zuging und fragte, wo die Mattlacke zu finden waren, belehrte er sie anschließend: „Wir Franzosen machen das nicht so, *Charlott*. Erst gibt es ein wenig Konversation, dann fragt man." „Aber ich habe zuerst gesagt, entschuldigen Sie bitte, erst danach habe ich gefragt, wo die Lacke sind", sagte Charlotte verdutzt. Gabriel lachte laut. „Ja, so seid ihr Deutschen, immer effizient und immer auf dem Sprung. Erst ein *ça va* oder ein kleiner Plausch über das Wetter, dann stellt man eine Frage. Wir helfen gerne, aber es braucht Zeit." Charlotte ließ sich das durch den Kopf gehen, sie musste zugeben, diese gelassene Einstellung gefiel ihr immer besser.

Thomas gegenüber erwähnte sie nur einmal, die Kulturunterschiede seien größer als gedacht, führte das aber nicht weiter aus, und er fragte nicht nach. Ausführlich schilderte sie ihre Ämter-Abenteuer, die französische Formular-Verliebtheit und ihre Sprach-Erlebnisse. Es endete immer so, dass er sich ausschüttete vor Lachen, und sie spaßeshalber anklagend ins Telefon rief: „Und du lachst noch!"

30

Und dann standen plötzlich Zirkus- und Bauwagen
auf dem Gelände. Gabriel hatte Wort gehalten und
den Transport organisiert. Es hatte zwar doch deutlich länger gedauert, sie zum Hof zu schaffen, aber
nun schmückten sie das Plateau im hinteren Teil,
leuchtend bunt der eine, grau und schäbig der andere. Charlotte lief als Erstes in den Zirkuswagen, be-
wunderte erneut Ausstattung und Atmosphäre und
gratulierte sich zum Kauf. Dann setzte sie sich auf
die Treppenstufen vor dem Eingang, unter den geschwungenen Schriftzug *L'entrée des artistes*, stützte
die Arme auf die Oberschenkel, ihren Kopf in die
Hände und betrachtete ihren Patienten, den grauen
Klotz, der wie Aschenputtel auf eine Verwandlung
wartete.

An mehreren Stellen musste das Holz ausgebessert werden, das würde sie selbst übernehmen, den
Anstrich innen und außen natürlich auch. Aber vorher brauchte das Teil Fenster! Sie lief zu den Handwerkern und fragte atemlos, ob sie ihr drei kleine
Fenster in den Bauwagen schneiden könnten, *entre
deux*, mal zwischendurch. Eine unglückliche Wortwahl, das war ihr sofort klar, als sie in Louis' Gesicht
schaute, *entre deux* ging hier gar nichts. Doch nachmittags kam Gabriel zufällig vorbei, sie berichtete, er
sprach kurz mit Louis, dann sagte er zu Charlotte, sie
solle die Fensterausschnitte anzeichnen, Alphonse würde das am nächsten Tag erledigen. Als Charlotte ihn
mit großen Augen ansah, zuckte er mit den Schultern und sagte: „Eine gute Flasche Wein und ein

bisschen Bauchpinseln hilft immer. Morgen repariert er auch die Tür. Und übrigens, sie werden den Bauwagen mit einem ordentlichen Gerät abschleifen, so wird das ja nie etwas." Er deutete augenzwinkernd auf die Stapel Schmirgelpapier, die Charlotte besorgt hatte.

Es fiel ihr sehr schwer, in den Telefonaten mit ihren Lieben daheim nichts von den beiden Wohnwagen zu verraten; zum Glück fragten weder Thomas noch die Kinder danach, zu beschäftigt waren sie mit Packen und Abschied nehmen. Überraschend würde der Umzug nun doch schon Mitte Februar stattfinden. Bei der ursprünglichen Planung hatte Thomas nicht bedacht, dass ihm für das neue Jahr anteilig vier Urlaubstage zustanden. Sein Chef hatte ihm zwei weitere Tage geschenkt, unter der Bedingung, dass er im März noch einmal zu einer Präsentation nach Deutschland kommen würde. Nun musste Thomas Hals über Kopf den Umzug nach Frankreich organisieren. Zum Glück unterstützten ihn Freunde und Familie nach besten Kräften, selbst seine Schwiegermutter kam ab und zu vorbei, brachte Aufläufe oder kümmerte sich um ihre Enkel.

Wahrscheinlich rechnete niemand damit, dass es Charlotte tatsächlich gelingen könnte, einen Eisenbahnwaggon aufzutreiben. Womit sie nicht Unrecht hatten, dachte sie vergnügt. Manchmal beschlich sie kurz ein ungutes Gefühl, dass sie sich nicht Emilys Einwilligung geholt hatte, ihr noch nicht einmal Fotos geschickt hatte. Es gab keine überdachte Veranda wie auf dem Foto, mit dem sie Emily geködert hatte. Aber wer den Zirkuswagen nicht schön fand, dem war nicht zu helfen. Und nachdem der Bauwagen einen lavendelblauen Anstrich erhalten hatte, mit Fenster- und Türrahmen in nachtblau, brauchte er sich nicht mehr vor seinem attraktiven Nachbarn zu verstecken. Zu gern hätte Charlotte die Fensterläden und Haustüren von *la petite* und *la grande Rosalie* ebenfalls lavendelblau gestrichen. Aber als sie diese Idee Weihnachten ihrer Familie vorgetragen hatte, war ein Sturm der Entrüstung losgebrochen. „Dann passt der Name *Rosalie* doch nicht mehr, Mama, das geht nicht, ausgeschlossen." So hatte sie es beim Überstreichen bei Rosa belassen, allerdings die Farbe ein wenig ins Altrosa verändert.

Wann immer sie Zeit erübrigen konnte, fuhr Charlotte durch die Gegend und stöberte in *brocantes,* Trödelläden, von denen es in Frankreich noch reichlich gab. So erstand sie einen kleinen runden Tisch und zwei Korbsesselchen für wenig Geld in einem Lädchen, in einem anderen einen kleinen Schrank. Der Verkäufer schenkte ihr noch ein Regal dazu. Den Tisch lackierte sie weiß, Schränkchen und Bücherbord dunkelrot. Für das Schlafpodest kaufte sie in Périgueux eine Matratze und eine Überdecke. Das Eckchen sah nun so einladend aus, Emily würde Augen machen.

Charlotte verzichtete schweren Herzens darauf, den Bauwagen zu möblieren. Aber sie sah ein, dass sie sich abstimmen mussten, wie sie ihn nutzen wollten. Thomas und sie mit Anton? Oder als Treffpunkt für die ganze Familie, und sie drei würden im Wohnmobil schlafen?

Als Charlotte Gabriel von ihrer Begeisterung für die *brocantes* erzählte und ihm stolz ihre Beute vorführte, sagte er, dann würde sie die *vide-greniers* lieben.

„*Vide-greniers*?" Sie runzelte die Stirn.

„Das sind von Dorfvereinen organisierte private Märkte auf dem Land, für die Familien ihre Speicher leeren, *vide-greniers*, leere Speicher," erklärte Gabriel. Als er Charlottes Augen aufleuchten sah, sagte er schmunzelnd: „Der nächste hier in der Nähe findet im März statt."

„Dann können wir vielleicht schon nach Dingen für *la petite* und *la grande Rosalie* schauen", rief sie entzückt und klatschte in die Hände. Wie hatte sie bloß zweifeln können? Dies hier war das, was sie immer schon hatte tun wollen – Räume gestalten, die die Seele ihrer Bewohner streichelten, wärmten und gleichzeitig so funktional waren, dass sie sich geräuschlos deren Bedürfnissen anpassten. Und das alles an einem so berauschenden Fleckchen Erde, mit einer Sprache, die als eine der Schönsten der Welt galt.

Eduard hatte ihr geraten, *France Inter* zu hören, ein guter Tipp. Es fiel ihr nun leichter, sich in die Sprachmelodie einzuhören. Inzwischen fühlte sie sich deutlich sicherer, konnte die Gespräche mit den Handwerkern entschiedener führen und genoss die kleinen Schwätzchen über den Zaun, im *tabac*, in der *boulangerie* und mit dem *facteur*. Mit dem Briefträger ganz besonders, denn der ältere, stets gut gelaunte

Mann ließ sich gerne auf einen Kaffee einladen und hatte immer etwas Interessantes oder Lustiges zu erzählen. Er wusste, wer krank war und Hilfe benötigte, wer Besuch von den Enkeln erwartete und einen Grill ausleihen wollte, wer kürzlich im Bingo gewonnen hatte, und wer im Garten über den Rechen gestolpert war. Und (wichtig) er wusste, bei welchen Dorffesten sich die zugezogenen Deutschen unbedingt sehen lassen sollten. Es hatte nichts mit Klatsch und Tratsch zu tun, er sorgte sich um seine Mitmenschen, und er sorgte für Verbindungen untereinander. Inzwischen hatte Charlotte mehrmals Post aus Australien erhalten, dort lebte momentan einer von Thomas' Brüdern. Das hatte der Postbote aufmerksam registriert und einer Nachbarin erzählt, dass *l'Allemande* Post aus Australien erhielt. Die alte Frau hatte wiederum einem Bekannten davon berichtet, und der kam vorbei, um zu fragen, ob er die Briefmarken für seinen Enkel haben könnte. In Deutschland hätte Charlotte sich wohl über so viel Indiskretion geärgert, hier fand sie es erfrischend und bereichernd. Vor allem half es ihr, sich als Teil der ländlichen Gemeinschaft zu fühlen. Und das mit jedem Tag mehr. Als sie Eduard und Philippe bei einem ihrer Besuche die Briefmarken-Geschichte erzählte, lachten die nur und sagten: „*Charlott*, jeder kennt Sie im Dorf, Ihre Ernährungsgewohnheiten, Ihren Tagesablauf." Da musste sie dann doch mal kurz schlucken.

31

Am Ankunftstag ihrer Familie bekam Charlotte heftiges Herzklopfen. Was, wenn Emily den Zirkuswagen ablehnte? Oder Thomas den Bauwagen überflüssig fand? Oder Anton maulte, weil er sich benachteiligt sah? Oder die Kinder festgestellt hatten, dass sie doch nicht dauerhaft in Frankreich leben wollten? Die Stimmen in ihrem Kopf wurden immer lauter, und als das Wohnmobil endlich auf den Hof fuhr, war es nur Leo, der sich ungehemmt freute, um die drei herumtanzte und immer wieder an Emily hochsprang. Charlotte stand abwartend im Hintergrund. Nachdem sie ihre Kinder aufs Haar und ihren Mann auf den Mund geküsst hatte, zeigte sie vorsichtig hinter sich: „*Voilà, nos petits appartements*, rot für Emily, blau für uns alle." Anton riss sich von der Hand seiner Mutter, rannte los und stürmte zum Zirkuswagen. Auf drei Treppenstufen hatte Charlotte Töpfe mit Tulpen und Narzissen gestellt, sie leuchteten in der Sonne und schwankten leicht im Frühlingswind. Anton verschwand im Inneren des Wagens und sie hörten ihn quietschen und jauchzen; er steckte seinen Kopf zur Tür raus und rief: „Das ist großartig, ich will hier auch mal schlafen. Und der ist auch toll", er deutete auf den Bauwagen.

Emily schob Leo, der seinen Kopf zwischen ihre Beine gesteckt hatte, sanft beiseite und ging auf den Wagen zu, schaute zum Schriftzug *L'entrée des artistes* über der Tür, blieb auf der Treppe stehen, drehte sich um und sagte andächtig: „Wow, der ist wunderschön, danke, Mama."„Aber du hast ihn doch noch gar nicht von innen gesehen", sagte Charlotte verwundert und ein bisschen verlegen.

„Du hast immer gesagt, der Eingang ist der Anfang, der muss stimmen." „Habe ich das gesagt? Und du hast es dir gemerkt?" Da war plötzlich ein unerwünschter Mitbewohner in Charlottes Hals, sie schluckte möglichst unauffällig. Thomas legte seiner Frau die Hand auf die Schulter und flüsterte: „Gut gemacht, *ma chère femme*."

Am nächsten Tag machten sie eine Tour zu den Schulen der Kinder. Emily würde mit dem Schulbus nach Sarlat fahren. Anton musste mit dem Auto oder dem Fahrrad zur Schule im Nachbarort gebracht werden. Seine Grundschule bestand aus drei angrenzenden Gebäuden aus gelblichem Sandstein und mit dunkelroten Dächern. Das spitze Türmchen des mittleren Hauses war links von einem steilen Satteldach flankiert, rechts von einem flachen. Vor den Eingangstüren waren Beete angelegt, die allerdings momentan etwas trostlos aussahen. Aber insgesamt machte das Schulgebäude einen sehr freundlichen, einladenden Eindruck. Anton nickte zufrieden und plapperte drauf los, wahrscheinlich auch um seine Nervosität zu übertünchen, denn nach wie vor hatte er einen Mordsrespekt vor der französischen Sprache.

Emilys Schule befand sich in einer Ausfallstraße von Sarlat. Als sie davor standen, breitete sich Stille aus. „Das ist es?", fragte Emily nach einer Weile tonlos, und Charlotte wusste, woran ihre Tochter dachte. An ihre wunderschöne Schule in Wiesbaden, die mit ihrer Hufeisenfom und der dunkelroten Fassade mit den vielen Fenstern in unterschiedlichen Formen und den verzierten Staffelgiebeltürmen an barocke Schlossbauten erinnerte. Hier sahen sie sich nun einer Ansammlung schmuckloser (genau genommen scheußlicher), beiger Kästen mit Flachdächern gegenüber, einige aneinandergebaut, andere lose über das riesige Gelände verteilt.

„Sie hat einen guten Ruf, und wenn es hier belebt ist, sieht das alles anders aus", sagte Charlotte im hilflosen Versuch zu trösten, erntete aber nur einen verächtlichen Blick ihrer Tochter. „Sie ist nach einem berühmten Schriftsteller benannt, der nur dreiunddreißig Jahre alt wurde", murmelte Charlotte, aber natürlich interessierte Emily nicht die Vergangenheit, sie warf gerade einen Blick in ihre Zukunft. Und auch ihr war ein schönes Ambiente sehr wichtig, da kam sie ganz auf ihre Mutter. Aber fähige Lehrer und nette Klassenkameraden, darauf kam es doch letztlich an. Emily war immer eine beliebte Mitschülerin gewesen, sie würde auch hier zurechtkommen. Um Anton müssten sie sich sicher mehr kümmern. Dachten sie ...

Anfang März änderten sich die Märkte schlagartig. Angeln und Fischereiausstattung machten Platz für Landwirtschaftszubehör und Gartengeräte jeglicher Größe. Sensen, Schaufeln, Spaten, Scheren, bedrohlich aussehende Hacken mit scharfen Zacken und jede Menge Unkrautbekämpfungsmittel lagen auf den Tischen oder lehnten daran. Andere Stände leuchteten und lockten mit Frühlingsblumen, prallgefüllte Eimer mit bunten Sträußen waren auf dem Boden vor den Tischen so dicht gestellt, dass es fast nicht möglich war, an den Stand zu treten und in den kleinen Holzkästchen nach Samentütchen zu wühlen. Überall roch es durchdringend nach Frühling. Überaus vertraute Geräusche ertönten: Es wurde Rasen gemäht, und es wurden Hecken geschnitten. Die Tage waren wieder deutlich länger, und Thomas und Charlotte atmeten auf, der erste Winter war überstanden und mit ihm die gröbsten Bauarbeiten an *la grande Rosalie*. Charlotte hatte mit dem Aufbau einer Website begonnen, es machte ihr Spaß, aber es war ein komplexes Puzzle, und permanent waren Entscheidungen zu treffen.

Die Kinder gingen nun schon fast zwei Wochen zur Schule, und überraschenderweise kam Anton gut zurecht. Er konnte fast vollständige, durchaus schwierige Sätze bilden, und sonnte sich ausgiebig im Lob der Familie. Dann gestand er eines Tages kleinlaut, er könnte Französisch besser sprechen als verstehen. Zunächst lachten alle, bis sich herausstellte, dass er in der Tat alles sagen konnte, was er wollte und was nötig war, um sich zurechtzufinden, aber längst nicht alles verstand, was um ihn herum gesprochen wurde. Aber er genoss die Aufmerksamkeit, die ihm in der Schule sowohl von den Lehrern als auch den Mitschülern entgegengebracht wurde, und ging ausgesprochen gerne in den Unterricht.

Aber Emily bereitete den Eltern Sorgen. Gleich am ersten Tag kam sie am späten Nachmittag (um 17:00 Uhr) wütend aus der Schule zurück. „Sie haben gedacht, ich wäre Engländerin, aufgrund meines Akzents – in Wiesbaden haben alle gesagt, ich hätte eine gute Aussprache."

„Das ist mir auch schon passiert", sagte Charlotte, woraufhin Emily schnaubte und entgegnete: „Und du glaubst, das macht es jetzt besser?"

Unbeirrt sagte Charlotte: „Neulich habe ich zu Gabriel gesagt, das Zimmer, in dem wir Silvester gefeiert haben, hätte mich so beeindruckt. Aber ich habe *chambre* gesagt anstatt *pièce*, Schlafzimmer anstatt Zimmer." „Wen interessiert das denn, du bist peinlich, Mama!" Emily verdrehte die Augen und mit einem „du verstehst es einfach nicht", verschwand sie im Zirkuswagen.

Mit Sorge sah Charlotte, dass ihre Tochter täglich dünner wurde. Das Schulessen in Frankreich galt als ausgesprochen gut. Das traf auch für Emilys Schule zu, es wurde mit Bioprodukten gekocht, und einmal in der Woche wurde vegetarisches Essen angeboten. Emily, darauf angesprochen, ob ihr das Essen schmeckte, zuckte nur mit den Schultern und sagte: „Ja, es ist okay."

Thomas beruhigte seine Frau, sie wächst, sie streckt sich, aber Charlotte betrachtete ihre Tochter zunehmend argwöhnisch, sie war nicht glücklich in der Schule, das war offensichtlich, aber sie wusste nicht, wie sie ihr helfen sollten, da sie auch nur das Allernötigste erzählte. Und weil Emily jeden Tag erst um kurz nach fünf aus der Schule zurück war und dann noch Hausaufgaben machen musste (Frankreichs Schulsystem war in der Tat gewöhnungsbe-

dürftig), gab es auch keinen Spielraum für Verab-
redungen mit Klassenkameraden. Wie sollte Emily
sich mit jemandem anfreunden, wie Tritt fassen im
Klassenverbund? Es bestand kaum eine Chance, in
feste Cliquen hineinzukommen, das war Charlotte
noch von ihrer Internatszeit vertraut.

Dann tauchte in den dürren Erzählungen Emilys
ein Name häufiger auf, Madeleine, es war ein Mädchen, das mit demselben Bus wie Emily zur Schule
fuhr. „Wir unterhalten uns, sie ist okay", mehr war
aus Emily auf Nachfrage nicht herauszubekommen,
aber Charlotte schöpfte Hoffnung. Bis ihre Tochter
ein paar Tage später mit verquollenem Gesicht und
verweinten Augen nach Hause kam und sofort zum
Zirkuswagen lief. Selbst für Leo, der angetrabt kam
und sie wiederholt mit der Pfote anstupste, hatte sie
kaum einen Blick. Charlotte ging hinein und hielt sie
am Arm fest. „Was ist los, hattest du Ärger in der
Schule?"

Emily riss sich los, drehte sich weg und nuschelte:
„Nein, es ist alles in Ordnung."

„In Ordnung ist hier gar nichts", sagte Charlotte
bestimmt. „Du lachst nicht, du isst nicht, du sprichst
nicht mit uns."

Emily zog verächtlich die Nase hoch. „Ihr habt
doch gar keine Zeit, für euch sind die Handwerker
wichtiger als wir. Und Anton ist jetzt euer Liebling,
ich bin ein Problemfall. Wie praktisch, dass ihr mich
kaum sehen müsst."

Erschrocken nahm Charlotte ihre Tochter in den
Arm. „Emily, Liebling, komm mal her." Für einen

kurzen Moment ließ Emily die Umarmung zu, als sie unruhig wurde, schob Charlotte sie ein wenig von sich weg und sah sie forschend an. „Fühlst du dich alleine im Zirkuswagen, möchtest du mehr bei uns sein?"

„Nein Mama, na ja, vielleicht – ach Mama, ich mache alles falsch." Charlotte blickte ihre Tochter liebevoll an, wartete.

„Madeleine und ich haben uns auf der Rückfahrt über Basketball unterhalten, ob wir den Sportkurs belegen sollen. Ich fände es toll, das mit ihr zusammen zu machen, aber sie findet sich nicht gut genug. Das ist Quatsch, ich habe ihr gesagt, es ist von Vorteil, wenn man so groß ist wie sie, *„grosse, c'est parfaite.*" Daraufhin hat sie mich böse angeschaut und ist wortlos ausgestiegen, hat mich keines Blickes mehr gewürdigt."

Charlotte schnalzte mitfühlend mit der Zunge, dann fragte sie: „Ist sie denn richtig dick?"

„Wieso dick? Sie ist groß, aber dick ist sie nicht."

„Was genau hast du gesagt, Emily?"

„*Madeleine, tu peux être heureuse, c'est bien d'être grosse*"; das stimmt doch, sie kann sich freuen, es ist von Vorteil, groß zu sein für Basketball."

„Du meintest *grande*, groß – *grosse* heißt dick."

„Oh nein!" Emily barg das Gesicht in den Händen. „Sie glaubt, ich finde sie dick!"

Charlotte sagte: „So etwas passiert. Als ich Au Pair in England war, habe ich für Heiterkeit bei meiner Gastfamilie gesorgt, als ich gesagt habe, 'I want to fix my bottom, gemeint hatte ich, 'I want to fix my button', ich will meinen Knopf annähen – gesagt habe ich aber, ich will meinen Hintern annähen. Das musste ich mir noch viele Male anhören." Dann wurde sie ernst. „Dieses Beispiel war lustig, aber Madeleine fand es natürlich nicht witzig, du kannst es ihr erklären, sie wird es verstehen und dir verzeihen."

„Puh", sagte Emily erleichtert. „Aber ich lerne nie richtig Französisch, die Sprache ist zu schwer für mich."

„Es war nur eine falsche Vokabel. Allerdings", Charlotte seufzte, „je weiter man fortgeschritten ist, desto schwieriger wird es, dann geht es um Feinheiten und sprachliche Besonderheiten, und da kann man durchaus verzweifeln. Ich auch."

Emily blickte ihre Mutter an, in einer Mischung aus erfreut und verwundert. „Das wird schon", sagte Charlotte und strich ihr übers Haar.

32

Doch am nächsten Tag berichtete Emily bedrückt, dass Madeleine ihr in der Schule aus dem Weg gegangen war und sich im Bus blitzschnell neben ein anderes Mädchen gesetzt hatte. Und einen Tag später erzählte sie, dass sie das Gefühl hatte, Madeleine tuschle mit anderen Mädchen über sie. Zwar freute es Charlotte, dass Emily sich ihr wieder öfter anvertraute; sie achtete darauf, dass Emily mehr Zeit mit der Familie verbrachte und bemühte sich, abends leckere Sachen auf den Tisch zu bringen, was auch gewürdigt wurde – aber es bekümmerte sie sehr, ihre Tochter so unfroh zu sehen; sie wirkte verängstigt, teilweise apathisch. Am liebsten hätte sie sich Madeleine geschnappt, um das Missverständnis aufzuklären, aber Thomas hatte sie mit scharfen Worten gewarnt, sich einzumischen. „Geduld, Lotte!" Emilys Stress in der Schule belastete Charlotte zunehmend. Sie hatte selbst in ihrer Internatszeit einige unschöne Vorfälle erlebt und wusste, wie einsam man sich inmitten lauter Menschen fühlen konnte.

Ein paar Tage später, Thomas stand auf der Leiter in *la grande Rosalie*, Charlotte mischte Farbe an, kam ein Anruf aus dem Schulsekretariat: „Ihre Tochter hat sich beim Sport verletzt, wir haben einen Krankenwagen gerufen, sie ist jetzt beim Arzt, dort wird zur Sicherheit ein Scan ihres Knies gemacht."

Charlotte ließ den Farbeimer offen stehen, wischte sich ihre Hände an der Latzhose ab und stürmte los. Zum Glück war es nur eine heftige Bänderdehnung; Emily bekam Schmerzmittel, Salben und Entzündungshemmer. Und sie erhielt Krücken, auf keinen Fall sollte sie zu viel laufen. Das bedeutete, dass nun auch sie zur Schule gefahren werden musste, zumindest eine Zeit lang. Es machte die Dinge nicht einfacher, es würde die Arbeitstage auseinanderreißen, und es würde hoffentlich Emily nicht noch mehr ins Abseits stellen.

Als Charlotte am Tag nach dem Unfall nachmittags vor der Schule auf Emily wartete, ein wenig angespannt, kam diese ihr freudestrahlend entgegen gehumpelt, neben ihr ein großes Mädchen, das sie als Madeleine vorstellte.

„Man hat mich mit einem Golf-Caddy gefahren", sagte Emily und deutete auf einen grünen Golfwagen hinter sich. „Weil die Wege zwischen den einzelnen Gebäuden so weit sind."

„Mit einem Golf-Caddy?", fragte Charlotte erstaunt. „Den hat die Direktorin mal angeschafft", sagte Madeleine und kicherte. „Weil sie so dick ist und keine Lust zum Laufen hat."

„Und ich darf immer jemanden mitnehmen, hinter den Sitzen ist auch noch Platz, da, wo normalerweise die Golfausrüstung liegt", sagte Emily. „Und alle wollen mal mitfahren." Seit Ewigkeiten hatte Charlotte ihre Tochter nicht mehr so strahlen sehen.

Nur sehr widerwillig gab Emily nach zwei Wochen ihre Krücken ab, aber noch sehr lange zog sie sich, oft auf ihren Arm gestützt, mühsam vorwärts, der Golf-Caddy kam nach wie vor viel zum Einsatz. Die Schulkrankenschwester rief bei den Eltern an und riet zu Physiotherapie, die der Arzt aber verschreiben müsste. Der bestand auf einem erneuten Scan des Knies, was bedeutete, dass Thomas mit Emily ins achtzig Kilometer entfernte Périgueux fahren musste, denn nur dort gab es das entsprechende Gerät für Kinder. Erst dann konnten sie den Termin beim Hausarzt vereinbaren, zum Glück am späten Nachmittag.

Doch obwohl es nur um eine halbe Stunde ging, konnte Charlotte Emily nicht einfach früher von der Schule abholen. Es bedurfte eines Eintrags im *Carnet de Liaison* – ein wichtiges Dokument, das der Kommunikation zwischen Schule, Eltern und Kindern diente und viele Bestimmungen enthielt. Emily hatte ihnen erklärt, dass es grundsätzlich vor dem Verlassen des Schulgeländes vorgezeigt werden musste. Dann mussten sich alle in einer Reihe aufstellen und ihr Heft bereithalten. *La vie scolaire*, der Schulalltag, war in Frankreich streng geregelt. Zusätzlich zur Lehrerschaft gab es an Emilys Schule, wie an allen größeren Schulen, drei Personen, die sich um die persönlichen Belange der Schüler kümmerten. So mussten Kinder, die mehr als drei Tage krank waren, sich anschließend von den Schulpädagogen befragen lassen. Thomas und Charlotte fanden das zunächst sehr befremdlich, doch als Emily ihnen erzählte, dass man sich auch kümmerte, wenn ein Mädchen in der Schule seine Periode bekam, begannen sie es mit anderen Augen zu sehen. Auch die Idee für den Einsatz des Golf-Caddys und der Zeitplan dazu kamen von den pädagogischen Betreuern. Charlotte musste dennoch schlucken, als sie hinter dem rostroten Eisengitter stand und auf ihre Tochter wartete. Emily kam auf sie zu gehumpelt, wies am Zaun ihr *Carnet* vor, die Aufsicht führende Frau kontrollierte den Eintrag, dann wartete sie den Blickkontakt zwischen Charlotte und Emily ab (als wolle sie sicherstellen, ist das wirklich deine Mutter, deine Tochter), erst dann ließ sie Emily passieren. Nachdenklich erinnerte sich Charlotte an Hannelores Worte, sie hatte Recht gehabt, das französische Schulsystem war deutlicher strenger, fast konnte man von Drill sprechen. Aber offensichtlich machte es ihnen als Eltern mehr zu schaffen als ihren Kindern.

Der Arzt ließ Emily einen kleinen Sporttest machen, dann schaute er sie forschend an und sagte: „Emily, dein Bein ist heil, du kannst wieder alles machen, auch Sport." Emily errötete und schwieg den ganzen Rückweg. Doch siehe da, Laufen funktionierte nach kurzer Zeit wieder problemlos. Und neuerdings tauchten in ihren Erzählungen so viele Namen von Mitschülern auf, dass den Eltern manchmal der Kopf schwirrte.

Die Kinder waren auf einem guten Weg, die ersten Hürden in der neuen Heimat waren genommen, jeden Tag wurde ihrer aller soziales Netz dichter geknüpft, wurden Verbindungen geschaffen, wichtige Erfahrungen gemacht, erweiterte sich der Wortschatz. Ohne zu zögern hatten Thomas und Charlotte sich an einer freiwilligen Renovierungsaktion in Antons Schule beteiligt. Sie hatten schnell begriffen, dass dies eine gute Möglichkeit war, um mit anderen Eltern und Kindern in Kontakt zu kommen. Untereinander waren die Eltern nicht in der Form vernetzt, wie sie es aus Deutschland kannten, und von den Lehrern wurde dies auch nicht gefördert. Um guten Willen zu demonstrieren, kandidierte Thomas für den Elternbeirat in Emilys Schule; zu ihrer großen Überraschung wurde er gewählt. Offensichtlich waren alle froh, dass sich jemand freiwillig gemeldet hatte. Es bedeutete viel zeitliches Engagement, aber es half ungemein, Kontakte zu knüpfen (gerade als Eltern eines Kindes, das mit dem Schulbus fuhr) und sich mit dem französischen Schulsystem vertraut zu machen.

Zur Freude der Kinder hatten sie mehrmals an einem Bingo-Nachmittag teilgenommen, zu dem sich Menschen aus den umliegenden Dörfern trafen, durchaus auch junge Leute. Sie hatten dort die holländische Familie, Piet und Mareike mit ihren Kindern, wieder getroffen und es bahnte sich eine Freundschaft an, nicht nur unter den Erwachsenen, auch die Kids verstanden sich gut.

Charlotte hätte sich entspannen können. Doch nun belastete sie die Beziehung zu ihrer Mutter. Die Telefongespräche waren meist knapp und oft unerfreulich. Hannelore war empört, dass ihre Tochter nach Weihnachten nun auch noch Ostern „lieber mit anderen Menschen als mit ihrer eigenen Mutter" verbringen wollte und ihr ihre Enkel vorenthalten wurden. „Und wahrscheinlich verschlägt es dich in den Sommerferien nur wegen ein paar Möbeln nach Wiesbaden, aber nicht wegen deiner alten Mutter."

Schon mehrmals hatte Charlotte sie gefragt, ob sie nicht im Mai für ein paar Wochen nach Frankreich kommen wollte, dann wäre zumindest eine Ferienwohnung komplett fertig, mit der Vermietung würden sie erst im Juni beginnen.

„Für solche Abenteuer bin ich zu alt" – die Antwort war stets die gleiche.

Charlotte sagte mit sanfter Stimme: „Du wolltest doch gerne noch einmal nach Frankreich reisen." „Noch einmal reisen, das hört sich an, als sei ich bald tot."

Charlotte sagte mit fester Stimme: „Das Wetter ist im Mai perfekt, noch nicht zu heiß." „Das ist es hier auch."

Charlotte sagte mit erhobener Stimme: „Die Landschaft ist ein Traum, das Klima würde dir gut tun. Die Wohnungen werden wunderschön, nicht nur die Räume, auch die Ausstattung." „Davon gehe ich aus, du bist ja schließlich meine Tochter."

Ermattet sagte Charlotte nach einem der Telefongespräche zu Thomas: „Vielleicht ist es auch besser, sie kommt gar nicht hierher, ich bin mir keineswegs sicher, ob ihr unser Einrichtungsstil, überhaupt das alles hier, wirklich gefällt." Thomas nickte und sagte: „Da bin ich mir bei meinen Eltern auch nicht sicher, aber sie werden es sich nicht anmerken lassen."

„Ich finde es schön, dass deine Eltern Ostern kommen, sie zeigen Interesse für unser Leben, und sie bemühen sich aktiv darum, den Kontakt zu uns zu halten. Von meiner Mutter kommen immer nur Vorwürfe." Charlotte seufzte, sie schaute Thomas zu, der den Innenausbau der Scheune in Angriff genommen hatte. „Sie kann nicht aus ihrer Haut", sagte Thomas, „aber du bist ihr wichtig, glaub' mir."

„Ich freue mich riesig auf Regine und Richard", Charlotte wandte sich zum Gehen. „Sie freuen sich auf uns, auf uns alle", rief Thomas ihr nach. „Und sie haben mir schon mehrmals gesagt, wie stolz sie auf dich sind, wie super du das hier gestemmt hast." Das stimmte Charlotte froh, aber gleichzeitig machte es sie auch traurig.

33

An dem Tag, als sie die Ankunft von Richard und Regine erwarteten, zeigte sich das Wetter von seiner besten Seite. Die Sonne schien von einem tiefblauen Himmel, weiße Wattewölkchen waren wie dazwischen getupft, ein mildes Lüftchen wehte.

Charlotte hatte inzwischen fleißig Kübel bepflanzt und sie vor die Eingangstüren der beiden Häuschen, vor den Bauwagen und auf die Treppenstufen des Zirkuswagens gestellt. Die früher auf dem Gelände verstreuten großen Bottiche mit dem Oleander hatten sie um den Essplatz im Hof gruppiert. Charlotte hätte es gerne noch wesentlich grüner und bunter gehabt. Unzählige Male war sie im Baumarkt und in der Gärtnerei gewesen; jedes Mal war sie abgefahren mit dem Kofferraum voller Pflanzen und Töpfe, mit dem Gefühl, üppig eingekauft zu haben. Jedes Mal war sie frustriert, als sie daheim auspackte und sich die Pflanzen in der Weite des Hofes verloren. Thomas hatte erst kürzlich Stirn runzelnd gesagt: „Unser Kontostand unterstützt deine ausgeprägte Vorliebe für Grünzeug nicht." „Das sind Anfangsinvestitionen, die müssen sein", hatte Charlotte geantwortet und in Gedanken die Lücken gezählt, die sie noch zu füllen gedachte.

Gegen Mittag rollte das kleine Wohnmobil mit dem Kölner Kennzeichen langsam auf den Hof. Charlotte, die das Auto hatte kommen hören, rief die Kinder und Thomas; blitzschnell stellten sie sich in einer Reihe auf, der Größe nach, selbst Leo war dabei, er saß neben Anton und spitzte erwartungsvoll die Ohren.

„Herzlich willkommen in der *Résidence Rosalie*", riefen sie im Chor, als sich die Tür des Wohnmobils öffnete und Regine als Erste heraustrat. „Wie schön es bei euch ist", rief sie und breitete die Arme aus. „Oh, Richard, es ist noch schöner, als wir gedacht haben." Richard schmunzelte, als er neben seiner Frau stand. „Ich kenne doch unsere Kinder", sagte er mit Stolz in der Stimme und beugte sich zu Anton, der auf ihn zugelaufen war.

„Es sind auch meine", ertönte eine Stimme. In der geöffneten Wohnmobiltür, von Kopf bis Fuß in Grün gekleidet, über dem Pullover eine Kette mit großen grünen Glasperlen, stand Hannelore. Langsam ließ sie den Blick über das Gelände schweifen. „Kaiserwetter", sagte sie zufrieden. „Jeder bekommt das Wetter, das er verdient."

„Mama, was machst du hier?"

„Ich hatte mir eine andere Begrüßung vorgestellt", sagte Hannelore trocken, setzte einen Fuß nach dem anderen vorsichtig auf den Boden und kam auf die Gruppe zu.

„Wir, wir ..., die kleine Wohnung ist noch mitten im Umbau", stotterte Charlotte und bemühte sich, nicht allzu entgeistert auszusehen.

„Alles geklärt, deine Schwiegereltern sind reizende Menschen."

„Wir schlafen im Wohnmobil", sagte Richard, „wir treten Hannelore *la grande Rosalie* ab, das Haus ist doch bezugsfertig?" Er blickte seinen Sohn fragend an. Klar, dachte Charlotte und biss sich auf die

Lippe, *la grande dame* in *la grande Rosalie*, das passte. Die Ferienwohnung über zwei Etagen war tatsächlich so gut wie fertig, aber in einigen Räumen baumelten noch die Glühbirnen von der Decke und nicht überall waren Lackierreste beseitigt worden. Eine Wand wollte sie nochmals streichen, da war ihr der Farbton völlig missglückt. Thomas fand das überflüssig, aber sie beharrte darauf. In der Küche hatte der Putz Blasen geworfen, auch da mussten sie noch mal ran. Sie hatten in den letzten Tagen rund um die Uhr gearbeitet, aber dennoch nicht alles geschafft. Ihren Schwiegereltern würde das Unfertige nichts ausmachen, aber ihrer Mutter? Charlotte setzte ein Lächeln auf und sagte: „Willkommen in Frankreich, *chère maman*.“

Natürlich, es war schön, dass ihre Mutter Interesse zeigte für ihr neues Leben und diese Reise auf sich genommen hatte, sogar im Wohnmobil. Hatten sie zu dritt darin geschlafen? Das konnte sie sich beim besten Willen nicht vorstellen. Aber sie war hier, und langsam regte sich so etwas wie Freude in Charlotte.

„Kommt, wir zeigen euch alles“, sagte Thomas.

„Gerne“, sagte Richard, „ich habe aber auch einen Mordshunger, wir haben früh gefrühstückt und deine Mutter hat im Hotel für uns nur ein *petit déjeuner* bestellt, dabei weiß sie doch, dass ein Frühstück für mich groß sein muss, *grand*.“ Alle Liebigs lachten, Hannelore rollte mit den Augen.

„Opa, es gibt kein *grand déjeuner*.“ Anton feixte. „Frühstück heißt *petit déjeuner*.“ „Ach ja?“, brummte Richard. „Also das Frühstück in Frankreich ist jedenfalls gewöhnungsbedürftig." Thomas erzählte die Kaffeegeschichte, *petitmoyenougrand*, jetzt lachten alle, selbst Hannelore, und die Situation entspannte sich zunehmend.

Morgens hatte Charlotte noch bei allen Kübelpflanzen Verblühtes entfernt. Doch auf dem Weg zum Haus knipste Hannelore an den Geranien und am Oleander Blüten aus und schüttelte missbilligend den Kopf. Zu siebt schoben sie sich durch *la grande Rosalie*. Am Abend vorher hatte Charlotte zu Thomas gesagt: „Wenn ein Raum frisch verputzt ist, mit gestrichenen Wänden, dann sieht niemand mehr die Latten, die Isolierung, die Elektro- und Wasserrohre, die Gipskartonplatten oder die vorhergehenden Fräs-, Stuck-, Schleif-, Mal- und Polierarbeiten."

„Mein Vater schon, da kannst du sicher sein, und unsere Eltern kennen die Fotos, die wir vom Ursprungszustand gemacht haben", hatte Thomas geantwortet.

Nun ging Charlotte nervös durch die Räume, sah sie mit den Augen ihrer Mutter, sah die teils rauen, nackten Steinwände mit dem rustikalen Bollerofen davor, die dunkel gebeizten Stützbalken, die antiken, aber an einigen Stellen gesprungenen Fliesen in der Küche, die uralten Holzdielen, die gemauerten Wandnischen mit Holzborden, auf denen Steine lagen, die sie mit den Kindern an der Dordogne gesammelt hatten. Das von ihr aufgearbeitete Küchenbüfett aus Weichholz, der alte, mehrmals abgelaugte Küchentisch mit Gebrauchsspuren, die schlichten Stühle – in ihren Augen war es einladend, gemütlich, zum Wohlfühlen.

„Wunderschön, das habt ihr toll hinbekommen, das muss mordsmäßig viel Arbeit gewesen sein", – Richard und Regine waren voll des Lobes. Regine griff nach einem schön gemaserten Stück Holz auf einer Kommode im Schlafzimmer. Es war von Emily glatt geschliffen und poliert worden. Regine strich behutsam mit der Hand darüber und nickte Emily anerkennend zu. Hannelore hatte sich bisher nicht geäußert, erst als sie alle Räume besichtigt hatten und wieder draußen standen, räusperte sie sich und sagte: „Stimmig, durchaus stimmig."

Thomas schaute Charlotte an, lächelte ihr zu – er wusste genauso wie sie –, das war höchstes Lob.

Am nächsten Morgen saßen bereits alle am Frühstückstisch im Hof, als Hannelore erschien, man hätte auch sagen können, als sie ihren Auftritt hatte. Sie trug eine schneeweiße Hose mit Bügelfalten und ein schwarz-weiß gemustertes Oberteil. Mehrere schwarz-weiße Armreifen klimperten an ihrem Handgelenk.

„Wie ist das Programm für heute?", fragte sie erwartungsvoll.

Bevor Charlotte etwas sagen konnte, antwortete Thomas: „Wir werden in der hinteren Ecke der Scheune Regale bauen, damit da Struktur reinkommt." Er schaute zu seinem Vater, der hatte gerade von einem Croissant abgebissen und ein „mmh" von sich gegeben. Er nickte zustimmend, wischte sich mit der Hand über den Mund und sagte lächelnd: „Bereit für alles, was zu tun ist." Hannelores Augen verengten sich. „Ich auch", rief Anton.

Regine bestrich ein Stück Baguette mit Marmelade und sagte: „Ich habe meine Nähmaschine mitgebracht, wir werden Vorhänge nähen, und mittags werde ich natürlich etwas Gutes kochen." Charlotte unterdrückte ein Schmunzeln, schaute vorsichtig zu ihrer Mutter. Hannelore stand immer noch, ihre beringten Hände um die Stuhllehne geklammert, ihr Lächeln dünnte aus. „Du kommst gleich mit mir, und dann machen wir dir erst mal eine anständige Frisur", sagte sie, zu Emily gewandt.

„Oh, erst muss ich Stoff aussuchen, mein Zirkuswagen bekommt auch Vorhänge, Oma", sagte Emily eifrig. „Und Omi zeigt mir den Umgang mit der Nähmaschine, ich will nähen lernen."

Hannelores Lippen wurden noch eine Spur schmaler. „Dann eben später", murmelte sie und wandte sich um, schaute misstrauisch auf das Kissen auf der Sitzfläche; dann nahm sie Platz, mit durchgedrücktem Rücken. „Gibt es nur dieses weiße Brot?", sie deutete auf den Korb mit dem Baguette. „Oh es ist köstlich", sagte Regine, und Richard fügte hinzu: „Du musst es mit der *pâté* essen, das ist besonders gut."

„Ich bin eigentlich ein Frühstücksei gewöhnt", sagte Hannelore pikiert und blickte den langen Tisch rauf und runter, „das sehe ich aber hier nicht. Genauso wenig wie Servietten."

„Ostern werden wir gepflegt und ausgiebig frühstücken, Mama, so wie du es gewohnt bist. Dann wird nicht gearbeitet. Und natürlich zeigen wir euch die Gegend." Charlotte zögerte, konnte es sich dann aber nicht verkneifen: „Aber die beiden", sie schaute zu ihren Schwiegereltern, „haben darauf bestanden, erst mal etwas wegzuschaffen." Als Antwort hielt Hannelore ihrer Tochter die Kaffeetasse hin.

Zum Mittagessen erschien Emily mit einer kunstvollen Flechtfrisur und sagte strahlend: „Oma geht mit mir Stoffe kaufen, für meine Vorhänge und für Kissen, dann kannst du den Stoff, den du mitgebracht hast, Omi, für etwas anderes verwenden."

„Wie du meinst, Schätzchen", sagte Regine freundlich. Hannelore murmelte: „Wenn jemand Zeit findet, uns zu fahren."

Für Ostermontag hatten sie Gabriel, Maurice und Eduard und Philippe zu einem deutschen Kaffeetrinken eingeladen. Regine hatte sofort freudestrahlend gesagt, dann würde sie mehrere Kuchen backen und eine richtig schöne deutsche Torte natürlich auch. Hannelore, die mit Emily aus Sarlat mit einem riesigen Stapel Stoffe zurückgekommen war, hatte sich am Tag zuvor an die Nähmaschine gesetzt, zu Charlottes großem Erstaunen. „Ich wusste gar nicht, dass du nähen kannst, Mama." „Du weißt so einiges nicht von mir, Lotte."

Hannelore hatte eine Tischdecke und dazu passende Servietten genäht. „Ich werde den Ostertisch decken und auch die Kaffeetafel", hatte sie zu ihrer Tochter gesagt, und der Ton duldete keinen Widerspruch. Charlotte schluckte kurz, einen Tisch schön zu decken gehörte zu den Dingen, die sie ausgesprochen gerne machte, und sie hatte auch schon reichlich Ideen für eine Osterdeko entwickelt – aber dann sagte sie sich, das ist jetzt die richtige Gelegenheit loszulassen. Und der Frühstückstisch war wirklich eine Augenweide, das musste man ihrer Mutter lassen. Hannelore hatte mit den Kindern Eier ausgeblasen und sie in zarten Pastelltönen gefärbt, einige zusätzlich kunstvoll verziert. Kleine Glasgefäße aus dem *supermarché,* aus denen sie zuvor *crème brulée* und *mousse au chocolat* gelöffelt hatten, waren mit Blumen und Zweigen bestückt, in der Mitte hatte sie auf eine längliche Platte mit Moos kleine Schokoladeneier gebettet, dazwischen zarte weiße Federchen und ein paar Osterhäschen.

Jetzt stand Hannelore vor der langen Kaffeetafel und faltete die Servietten kunstvoll, Emily stand daneben und schaute andächtig zu. Ihre Großmutter tuschelte mit ihr und drückte ihr ein Körbchen mit buntem Inhalt in die Hand. Charlotte sah, wie Emily immer wieder hineingriff und etwas Kleines unter jede Serviette schob. Hannelore hatte, ebenso wie Regine, den ganzen Vormittag in der Küche verbracht. Wollte sie unter Beweis stellen, dass sie auch gut backen konnte? Dass sie Regine zur Hand ging, konnte Charlotte sich beim besten Willen nicht vorstellen.

34

Pünktlich um 15:00 Uhr rollte der Gangsterwagen in den Hof. Die älteren Herren, alle dunkel gekleidet und mit Sonnenbrillen angetan, stiegen aus. Es wirkte wie eine Szene aus einem Schwarz-Weiß-Film, als die Vier so nebeneinander aufgereiht vor dem Oldtimer standen. Langsam setzte sich der Trupp in Bewegung. Richard und Regine schauten ihnen entgegen, Hannelore zupfte an der Tischdecke und den Servietten, richtete die Väschen ein letztes Mal aus und drehte sich dann langsam um. Richard machte einen Schritt auf die Besucher zu und sagte forsch: „*Bonjour, welcome, je suis Richard*", er fasste Regine am Arm, „und das ist meine Frau, *ma femme Regine*." Er zögerte einen Moment, dann sagte er, etwas unsicher: „Und das ist Madame Hoffmann, Charlottes Mutter."

„Hof-mann", sagte Hannelore empört, „nicht Hoff-mann. *Messieurs, bienvenue*." Sie neigte huldvoll den Kopf. „*Vous pouvez dire Hannelore*, Sie können Hannelore zu mir sagen." Sie warf Richard einen vernichtenden Blick zu. Maurice beugte sich über ihre Hand und deutete einen Handkuss an, Gabriel folgte seinem Beispiel und sagte: „*Enchanté de vous rencontrer, Madame*, entzückt Sie kennenzulernen."

Hannelores Augen leuchteten auf, dann wies sie auf den Citroën. „Was für ein tolles Gefährt, *formidable, très chic*", sagte sie. Als Gabriel nickte, fasste sie ihn leicht am Arm und sagte: „Das zeigen Sie mir nachher ganz ausführlich, Gabriel, *s'il vous plaît*. Ach, ich liebe die Lebensart der Franzosen, ihren Stil, ihr ausgeprägtes Gefühl für Ästhetik." Sie bedachte ihn mit einem strahlenden Lächeln und fügte hinzu: „Ihr Franzosen habt dieses *je ne sais quoi,* dieses gewisse Etwas."

„Welcome ist Englisch", flüsterte Regine ihrem Mann zu, „es heißt *bienvenue.*" Richard zuckte mit den Schultern. „Sie haben mich verstanden, das ist das Wichtigste."

Hannelore, die zwischen Gabriel und Maurice saß, führte weitgehend das Wort. Charlotte hatte nicht gewusst, wie gut ihre Mutter Französisch sprach, es hätte sie aber auch nicht gewundert, wenn sie vor der Fahrt nach Frankreich ein bisschen Französisch gebüffelt hätte, um zu glänzen. Auch ihre Aussprache war tadellos, das musste man ihr lassen. Eduard und Philippe, die von Leo freudig begrüßt worden waren, unterhielten sich viel mit Emily und Anton – die Verständigung mit Richard und Regine war schwierig, da die beiden nur wenig Französisch sprachen. Aber natürlich verstand Regine, wie sehr ihr Kuchen von den Männern gelobt wurde, und Charlotte dachte, Punktsieg für sie, den Männern ist das Essen natürlich wichtiger als die Dekoration.

Aber sie hatte ihre Mutter unterschätzt. Nachdem die Kuchen zu großen Teilen verputzt waren und Pastis und Wein auf dem Tisch standen, erhob sich Hannelore plötzlich und verschwand in der Küche, sie kam mit einem riesigen Tablett zurück. „Canapées mit Lachs, Schinken, Käse, Eiern", sagte sie, „*bon appétit.*" Eduard und Philippe kicherten, Maurice prustete los. „*Canapées* sind Sofas", sagte Gabriel vorsichtig. „Canapées sind belegte Brote", sagte Hannelore empört. „Das Wort kommt aus dem Französischen, das müssten Sie doch wirklich kennen."

„Wir kennen es auch", sagte Gabriel schmunzelnd, „aber es bedeutet im französischen Sprachgebrauch Sofa." Mit einem Blick zu Hannelore sagte er: „Das können Sie mir ruhig glauben, *Annelor*."

Maurice räusperte sich und sagte in gebrochenem Deutsch: „Ihre belegten Sofas sehen auf jeden Fall sehr lecker aus." Alle brachen in Gelächter aus, (auch Anton, der nicht wirklich verstanden hatte, um was es ging, aber sich mitfreute.) Auch Thomas und Charlotte lachten, wenn auch etwas verhalten. Wieder einmal war ihnen klar geworden, wie leicht es zu sprachlichen Missverständnissen kommen konnte.

Die Stimmung wurde immer ausgelassener. Philippe wackelte ausgiebig mit den Ohren und genoss die Bewunderung der deutschen Besucher. Bei Anton klappte es noch nicht ganz so gut, aber er ließ nicht locker. Thomas betrachtete amüsiert die eifrigen Versuche seines Sohnes.

Charlotte ließ ihren Blick über den großen Tisch schweifen, lehnte sich genüsslich zurück und genoss das Stimmengewirr. Sie suchte Thomas' Blick, er lächelte ihr zu, und sie spürte eine tiefe Verbundenheit und ein ungeheures Glücksgefühl. Sie waren angekommen. Manches war viel leichter gewesen als gedacht, aber vieles auch deutlich schwieriger als erwartet. Und natürlich war ihnen bewusst, sie hatten nur ein Stück auf ihrem Weg geschafft – zwar ein großes und wichtiges –, aber es lag noch viel

Strecke vor ihnen, viel Arbeit wartete auf sie, und Rückschläge würde es immer wieder geben. Aber dies war ihr *savoir-vivre*.

Auch die Kinder schienen den Nachmittag zu genießen. Wir müssen das unbedingt mal mit junger Besetzung wiederholen, dann dürfen sie ihre Freunde einladen, dachte Charlotte. Sie würden demnächst mit den Holländern grillen, das war schon verabredet, ebenso wie der gemeinsame Besuch des nächsten *bonfire*, eines Lagerfeuers mit abendlichem Picknick im Nachbarort. Und bei der nächsten *ronde des villages*, einer Wanderung von Dorf zu Dorf, (natürlich mit vielen Verpflegungsstationen unterwegs), würden sie als freiwillige Helfer mitmachen. Sie schaute sich um, um den Kindern von den Plänen zu erzählen; diese waren aber zwischenzeitlich aufgestanden. Emily tollte mit Leo über den Hof, Anton konnte sie nicht erblicken.

Sie winkte Emily heran, in dem Moment kam Anton um die Ecke geschlendert. Er hatte ein dunkelblau gestreiftes T-Shirt angezogen, trug Hosenträger und eine Baskenmütze auf dem Kopf, er sah aus wie ein waschechter Franzose. Alle lachten und klatschten Beifall. „*Bravo alors*", rief Eduard.

„Ach, wenn dich dein Uropa so gesehen hätte", sagte Hannelore gerührt. „Du bist ein toller Kerl, lass dich mal drücken, Lieblingsenkel."

Charlotte freute sich für Anton, der bisher bei seiner Oma hinter seiner Schwester hatte zurückstehen müssen, aber dann sie sah Emilys Blick. Sie nahm sich vor, sehr bald einmal ausgiebig und in Zukunft regelmäßig Zeit mit ihr zu verbringen. Das Mutter-Tochter-Verhältnis zu stärken. Würde sie es besser machen als ihre Mutter? Bestimmt hatte Hannelore auch immer ihr Bestes gegeben. Besser machen würde sie es vielleicht nicht, aber anders.

In dem Moment beugte sich ihre Mutter vor, griff über den Tisch nach ihrer Hand und sagte: „Tolle Kinder hast du. Und ihr habt es wirklich sehr schön hier. Gut gemacht, Charlotte!"

Dank

Ein großes Dankeschön geht an Helena Schepers. Sie und ihr Mann Chris haben mich mit ihrem gelungenen Auswanderprojekt auf die Idee für das Thema des Romans gebracht. Helena hat mir vor Ort ihre kostbare Zeit geopfert, meine Fragen beantwortet und Anekdoten erzählt; so verdanke ich ihrem Sohn Thije die Geschichte mit dem Golf-Caddy nach seinem Sportunfall. Der von Helena verfasste Blog über die Entstehungsgeschichte ihres Glampings war eine wunderbare Inspirationsquelle für mich.

Silke Wiggers hat mir zu Beginn wertvolle Hinweise gegeben. Meine Tochter Julia hat mich ermuntert, die Konflikte zu verschärfen und noch etwas mehr französisches Flair einzubauen. Von Ariane Egner-Payr habe ich kritisches Feedback und großartige Ideen für Ergänzungen erhalten. Cécile Péralta hat die französischen Passagen geprüft. Gabriele Staupe hat professionell Korrektur gelesen. Und erst ihr ist das „Fischstäbchen-Parkett" aufgefallen, das bei mir für reichlich Lachtränen gesorgt hat. Vielleicht hätte ich es zur Freude meiner Leserinnen und Leser drin lassen sollen? Mein Mann Rolf-Günther hat sich geduldig meine Überarbeitungen angeschaut. Und ohne seine technische Unterstützung hätte es auch dieses Manuskript nicht in die Buchform geschafft. Ein großes Dankeschön an alle!

Da ich im Anfangsstadium des Manuskripts – als eigentlich Recherche vor Ort angesagt war – pandemiebedingt nicht nach Frankreich reisen konnte, habe ich neben ausgiebigen Recherchen im Internet eine Reihe von Büchern als Inspirationsquelle benutzt. Eine Liste findet sich unten.

Erstaunlicherweise steht das Périgord bei deutschen Urlaubern nicht an vorderster Stelle der Wunschziele – es lohnt sich aber wirklich!

Über jegliches Feedback freue ich mich sehr, ich werde jede E-Mail beantworten. ilsebill@hobbeling.de

Diese Bücher haben mich inspiriert:

Bettina Bouju, Johanna Links: Fettnäpfchenführer Frankreich, C'est la vie, aber wie?
Birgit Kaspar: Ein Jahr in Frankreich
Marco Kranjc: Im Ausland leben für Dummies
Peter Mayle: Mein Jahr in der Provence
Peter Mayle: Hotel Pastis
Regine Rompa: Unser Hof in der Bretagne
Murielle Rousseau: Savoir-vivre, Leben wie eine Französin
Martin Walker: Bruno Chef de police, Band 1 – 8
Nick Yapp, Michel Syrett: So sind sie, die Franzosen

Ilsebill Hobbeling, Zu jung für sie?

Als die knapp 40-jährige Marie dem Mittzwanziger Jan-Jonas in ihrem neuen Job in Wiesbaden begegnet, scheint es, als seien sie füreinander geschaffen. Doch er ist ein zielstrebiger BWLer, der von einer klassischen Familie träumt, sie eine alleinerziehende Mutter mit zwei Teenagern, die in einer WG lebt. Zögernd nähern sie sich an. Marie kämpft mit großen Ängsten wegen des Altersunterschieds, er erfährt heftigen Gegenwind von seinen Eltern. Und da ist Jan-Jonas' starker Wunsch nach eigenen Kindern! Hat diese Liebe überhaupt eine Chance?

 356 Seiten, Paperback

In meinem Blog ilsebillslesezeichen.de bespreche ich Bücher und Kinofilme und kommentiere die Dinge des Lebens. Schaut einfach mal vorbei!

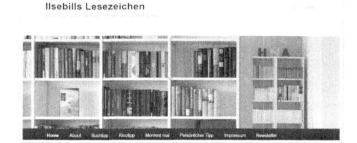